En mi casa no entra un gato

NEFELIBATA

Pedro Zuazua Gil

En mi casa
no entra un gato

Diario de un gatuno primerizo

Duomo ediciones

Barcelona, 2018

© 2018, Pedro Zuazua Gil
© 2018, de esta edición: Antonio Vallardi Editore S.u.r.l., Milán
Todos los derechos reservados

Primera edición: mayo de 2018

Duomo ediciones es un sello de Antonio Vallardi Editore S.u.r.l.
Av. del Príncep d'Astúries, 20. 3.º B. Barcelona, 08012 (España)
www.duomoediciones.com

Gruppo Editoriale Mauri Spagnol S.p.A.
www.maurispagnol.it

Duomo, Pedro y Mía quieren agradecer la generosa colaboración
de Elvira Lindo, Paloma Abad, Rosa Copado y Pancho Varona.

ISBN: 978-84-17128-08-1
Código IBIC: FA
DL B 5952-2018

Diseño de interiores:
Agustí Estruga

Ilustraciones:
Elsa Suárez Girard

Composición:
Grafime. Mallorca, 1. Barcelona 08014 (España)
www.grafime.com

Impresión:
Grafica Veneta S.p.A. di Trebaseleghe (PD)
Impreso en Italia

A Mía, que es muy suya

Índice

Prólogo,

por Elvira Lindo

Pedro Zuazua creía que no quería una gata, pero por fortuna sus amigas, que lo conocen más de lo que él se conoce a sí mismo, supieron advertir que lo estaba deseando. Mía, diminuta y aparentemente atemorizada, llegó a su casa un día, miró a su alrededor, husmeó por los rincones, aprobó aquel piso como su nuevo hogar y tras convertirse en propietaria optó por aceptar a aquel tipo nervioso e inseguro como pareja de hecho.

Este es el principio de una historia de amor tan fascinante como complicada: quien se hace llamar amo es por momentos un mero subordinado y aquella a quien se toma por mascota no concibe convertirse en propiedad de nadie, sigue sus instintos y es tozuda y fiel a su carácter, sin que eso afecte al lazo secreto que se va tejiendo día a día entre ambos.

Hemos otorgado a los gatos la cualidad de ser animales más literarios que los perros, y en cierto modo ese lugar común responde a una verdad: el gato es enigmático, egoistón e independiente, mientras que el perro trata de agradarnos y se amolda a nuestras costumbres. De las diferencias entre estos dos tipos de compañeros domésticos se ha escrito mucho, tanto como para que creamos que lo sabemos todo. Pero no. Ocurre que aunque los animales, como los humanos, compartan características innatas a su condición, poseen a un tiempo una individualidad que nos permite definir su carácter y distinguir esas peculiaridades que a nuestros ojos los convierten en únicos. Hay gatos perrunos y perros gatunos, pero por encima de cualquier consideración no hay un bicho igual a otro, y esa diferencia se refuerza cuando un animal entra en contacto con una personalidad humana. Mía, la gata de Zuazua, no hubiera sido enteramente Mía de no haber conocido a nuestro autor; tampoco Pedro sería el mismo. Las personas que nunca han tenido animales nos toman por chalados, en el mejor de los casos, porque atribuimos a nuestras mascotas anhelos y sentimientos que se han considerado exclusivos de la raza humana. También piensan, aquellos humanos ajenos al mundo animal, que nos volvemos cursis, tontorrones e infantiloides, tanto como para hablarle a nuestra gata o a nuestra perra como si albergáramos la esperanza de que un día abrirán la boca para respondernos. Los dueños de gato hablan a su animal en la intimidad del hogar, de tal forma que su chaladura se reduce al ámbito privado; los de perro lo hacemos abiertamente, en la calle, a la vista de todo el mundo.

No saben los que nos toman por ñoños que nuestros animales sí nos responden. No lo saben, porque hay cosas que no se comprenden hasta que no se ha convivido con un animal. Se trata de una sabiduría que adquirimos gracias a esta relación peculiar que nos aleja felizmente del antropocentrismo, para considerarnos al fin miembros de un planeta diverso y no protagonistas como se nos hizo creer. Amar a los animales es una liberación y una responsabilidad. Libera porque obliga a considerar esa altura desproporcionada en la que hemos situado la inteligencia humana y nos hace responsables porque abre los ojos a todo un universo en el que posiblemente no habíamos reparado.

Pedro, Pedrín, como así lo llama confianzuda su gata Mía, va aprendiendo con asombro y en permanente estado de alerta cómo se comporta su gata; hace intentos infructuosos de adiestrarla, pero viendo que el carácter felino es indómito decide, con sabiduría, optar por la flexibilidad. Bien hecho. Al fin y al cabo, ¿no sabemos que toda convivencia exige un alto nivel de tolerancia? ¿Por qué iban a ser menos los gatos que están cediendo parte de su instinto agreste e independiente a favor de hacer compañía sin agobiar?

Es este libro un manual para comprender la naturaleza felina en general, y para mostrarnos cómo se construye una relación sentimental en particular. Pero a su vez es una suerte de libro humorístico en el que con mucho arte el autor convierte en personaje a cualquier persona que aparece en sus páginas: la veterinaria del barrio; una amiga experta a la que consulta sus neuras por WhatsApp; otra, que pertenece a la masonería gatuna; a sus colegas del periódico y a su madre, que constituye el necesario contrapunto cómico que precisa todo buen muchacho soltero que lleva camino, siempre según mamá, de convertirse en solterón. Ay, esa madre, que teme que la gata arroje a su hijo a una soledad de por vida pero que finalmente se rinde al encanto del animalillo. Cómo no iba a ser así. Todos acabamos enamorados de Mía. Estoy segura de que a usted, que abre ahora estas páginas, también le ocurrirá. Dejando a un lado que la gata es indiscutiblemente bonita (y al autor le gusta que hasta la veterinaria celebre su belleza), Zuazua nos narra con tal gracia las manías, costumbres y arrebatos de amor de su compañera que es imposible no quererla. He leído el libro con una sonrisa en los labios. He observado a Mía a través de la mirada de Pedro, pero también he espiado a Pedrín gracias a los ojos de Mía. Son, sin lugar a dudas, una gran pareja cómica: la bella e independiente Mía, caprichosa y dueña de sí misma en permanente contraste con el carácter sentimental de su dueño, un profesional seguro de sí mismo que cuando vuelve a casa está deseoso de dar y recibir cariño. Cómo no quererlo también.

Humor de principio a fin, un gran manejo del ritmo narrativo que nos mantiene encandilados y algo que emana de todo el texto y que tal vez no entre dentro de las consideraciones literarias ortodoxas pero que a mí me seduce mucho: la bonhomía. Hay un espíritu de tolerancia y alegría que respira todo el libro. Y también alguna nota sutil de melancolía, sugerida sin detalles pero que al menos yo percibo.

Este libro es un peligro. Tengan los lectores mucho cuidado, porque su autor pertenece a esa logia secreta de los amantes de los gatos que en cuanto se huelen que dichos animalitos nos interesan, tratan de convertirnos a su fe y hacernos uno de suyos. Algo se apunta en el libro. Actúan discretamente pero de manera implacable. Este prólogo, por ejemplo, puede ser una señal que ellos perciban como primer signo de mi futura rendición. Es probable que empiecen a ablandarme el corazón mandándome fotos de gatitos haciendo cosas, lo cual no es difícil porque acaparan estos seres los momentos más insólitos que ofrece el ciberespacio. Este libro es una bomba en sus manos. Mía es capaz de provocar muchas adopciones: al leer la última página se quedará usted, incauto lector, con un vacío que no sabrá cómo llenar. O como yo, lo intuirá y preferirá sacudirse ese pensamiento invasivo como si fuera una mosca. Por el momento.

En mi casa no entra un gato podría haberse llamado *Enemigos, una historia de amor*, como así se titula la maravillosa novela de Isaac Bashevis Singer, que aun narrando la relación entre un hombre y una mujer bien podría definir la peculiar relación entre felinos y humanos. Nosotros tratando de domesticarlos y ellos, de arrastrarnos al lado salvaje de la vida. Estoy convencida de que ustedes se preguntarán lo mismo que yo al terminar el libro: ¿para cuándo la siguiente aventura de tan singular pareja?

En mi casa no entra un gato.
Y punto

«En mi casa no entra un gato. Y punto».
Terraza del restaurante La Marina. Ribadesella. Asturias.
Agosto de 2015

Mía, una gata común europea blanca y marrón claro
entra por la puerta de mi casa. Plaza del Cascorro. Madrid.
Junio de 2016

¿Qué sucedió en esos meses? ¿Cómo pasé de un «no» tajante a adoptar un animal? En primer lugar, he de confesar que nunca he sido un gran animalista. Cuando era pequeño, por mi casa circularon peces de color naranja, tortugas (alguna de ellas, por lo visto, sigue viva en un jardín asturiano. No me quiero imaginar el tamaño) y periquitos cuyo nombre siempre era Pichi, y a los que, con la llegada del buen tiempo, tapábamos con una manta para que no comenzaran a cantar cada día a las siete de la mañana.

También recuerdo haber tenido una cría de pastor alemán durante tres días en los que ejercimos de enlace entre la familia que la cedía y la que la adoptaba. Como no teníamos correa, la sacábamos a la calle atada con un cinturón de mi padre.

Cuando era niño, mi padre accedió a comprarme un pato en el mercado de El Fontán, en Oviedo. No me pregunten ni por qué lo pedí ni por qué dijo que sí, ya que no existe explicación lógica. El caso es que Alfred J. Kwak (así lo llamé) se vino a vivir con nosotros. Su espacio estaba en la cocina, en una gran caja de cartón. Allí le dejábamos leche (¿los patos beben leche?) y comida. Le poníamos un manto de papel de plata para que hiciera sus necesidades y cada cierto tiempo lo sacábamos a dar una vuelta por la casa. Un pequeño pato amarillo en un piso, qué gran idea.

El caso es que dos semanas después nos fuimos al pueblo de mis abuelos maternos. Fuentes de Ropel, en Castilla y León, cuya principal característica es que es casi equidistante de Zamora, León y Valladolid, que parece algo fácil, pero no lo es. Y el pato se vino con nosotros, claro. Viajó en el maletero –«Así no se marea», razonó mi madre– y, cuando llegamos, lo subí directo a mi habitación. Por la noche me convencieron para dejarlo fuera, en el patio. Fue la última vez que lo vi. A la mañana siguiente, Alfred J. Kwak había desaparecido. Mis padres me dijeron que un gato se lo había comido. Fue el camino más corto que encontraron para no decirme que un pato tenía más bien poco sentido en nuestra casa y que habían decidido dejarlo en una granja del pueblo.

Justo en ese punto se quedó mi relación con los animales. Hasta que a mi amiga Bárbara le dio por adoptar una pequeña gata siamesa de nombre Micu. Era un ser raquítico, despeluchado y tímido que se pasó los primeros días en su nuevo hogar escondido en un agujero que había detrás de la cisterna del inodoro. Bárbara tampoco era muy amante de los gatos que se dijera, pero nos iba relatando cada día los avances del minino. Nosotros nos reíamos y la llamábamos la Loca de los gatos. Y a mí, lo reconozco, Micu me daba miedo. Cuando se acercaba, me ponía tenso; y cuando quería jugar, le ofrecía el puño cerrado, para que no me arañara.

Bárbara, como cualquier dueño de gatos que se precie, comenzó con su labor de evangelización: que si no sabéis la compañía que hace, que si no sabéis la alegría que dan, que si son superágiles y nunca tiran nada (mentira). Y claro, con un par de culines de sidra, los ladrillos de mi muralla antigatos se fueron deteriorando de una forma casi imperceptible.

Del «En mi casa no entra un gato. Y punto.» pasé a curiosear sobre las bondades del animal. Y ya se sabe que de hacer preguntas a empezar a ver fotos de gatos en las redes sociales solo media un paso. Y hay que reconocer que estos animalitos son muy fotogénicos y simpáticos, y que no hay que sacarlos a pasear tres veces al día, y que se pueden quedar solos en casa un fin de semana, y que son muy limpios... Pero no, he dicho que en mi casa no entra un gato. Y punto.

Porque, en ese momento, todavía me quedaban fuerzas para la resistencia. Al final del debate, una especie de lucidez desconocida hacía acto de presencia y me hacía decir: «Que no, de verdad, que no estoy preparado para tener un gato. Ni lo quiero ni lo voy a cuidar bien ni va a ser feliz conmigo». Y así, hasta la próxima cena. No obstante, el veneno ya estaba ahí. Inoculado.

Para no extenderme, les diré que las redes de dueños de gatos son inexorables, y que una vez que huelen la sangre de una nueva víctima, no la sueltan hasta que acepta. Comenzó entonces la fase del bombardeo de fotos y vídeos de candidatos. Yo, por alguna razón, prefería una hembra. (Nótese que, como si fuera lo más normal del mundo, ya había pasado de negarme firmemente a anticipar el sexo de mi gato). Había leído (es decir, que estaba leyendo sobre gatos) que las hembras se portan mejor y tienen un carácter más llevadero. También que son más cariñosas. Aunque daba por hecho que era una auténtica lotería. Incluso había visto que los gatos nacidos de ejemplares de tres colores son malvados, pero desconozco la base científica para esta afirmación.

La primera candidata me llegó por vídeo. Lo remitían Isaac y Luis, una pareja de amigos míos que tiene dos gatos, Tina y García. La señora que los cuida cuando se van de vacaciones (a las mascotas, no a ellos, se entiende) recogía gatos y los recolocaba en casas de adopción.

La gata era de color azul grisáceo. Reproduzco las palabras que aparecen en el vídeo: «A ver, *microscopicie,* que te quiere ver tu padre. Mira qué cosa tan pequeña y tan espabilada». En ese momento, la gata maúlla y vuelve el diálogo: «Tú lo que quieres es que te cojan, ¿eh? A mí no me dan miedo ni los perros ni nada». El vídeo termina con la gata girándose hacia dos perros bastante grandes sobre los que se abalanza y a los que hace retroceder. Instantáneamente sentí empatía con aquellos pobres perros y esperé a ver si el tiempo recolocaba a la gata, que resultó ser un gato, en alguna otra casa. Sucedió al día siguiente.

Basta que te quiten algo que no querías para que lo quieras. Y así sucedió. Aunque no quería a aquel gato, de repente sentí la necesidad de tener un gato. Una gata, en concreto. Y llamé a mi amiga Paloma, otra de mis referencias gatunas, e inmediatamente me envío fotos de una camada de gatos recién nacidos en Galicia. Eran blancos, con varias manchas negras repartidas por el cuerpo. Paloma me informó de que pensaba viajar a Galicia dentro de dos semanas y que me podía traer una. Le dije que sí. Hala, ya tenía una gata.

Pero no fue aquella. El fin de semana previo a la llegada de la gata gallega, una serie de sucesos terminó con Mía en casa. Mía había nacido un par de meses antes a escasos kilómetros de Madrid. Bárbara se la había ofrecido a su amiga María, que ya tenía otra gata, y esta (María) había aceptado. Cuando Bárbara me mandó una foto de Mía en su bolso, caminando por la Gran Vía, me enternecí al ver esos ojitos, y como en realidad no divisaba el peligro de que acabara en mi casa, lo verbalicé delante de mis amistades: «No me importaría quedarme con ella», dije.

Ya de noche, mientras estábamos cenando, María informó a Bárbara de que su mascota no podía soportar la presencia de otra gata y que por favor pasara a recogerla lo antes posible. Ya no había vuelta atrás. Era el momento. Alguien dentro de mí cogió el timón y dijo: «Oye, pues ahora mismo voy a por ella». Había empatizado con aquella gata y no me la quería imaginar pasando la noche en una casa en la que no era bien recibida con una congénere dispuesta a trepanarla. Alguien con cierta sensatez respondió: «Pero ¿adónde vas, Pedrín? Si no tienes ni comida ni arenero ni nada... Mejor espera a mañana y ya te la llevas con calma». Y así, el 19 de junio de 2016, Mía llegaba a mi casa. Ambos comenzábamos una nueva vida.

El primer día (con su noche) de Mía

«Del mismo modo que cuando una casa es demasiado grande se sabe que vendrá más gente a vivir en ella, hay casas en las que tiene que haber gatos».

DORIS LESSING. *Gatos ilustres*

Mía llegó con dos meses recién cumplidos. Lo hizo en un bolso (el de mi amiga Bárbara) y, en el trayecto hasta su nuevo hogar, asomaba la cabeza y miraba con atención todo lo que ocurría a su alrededor. No la asustaban ni la gente ni los coches.

Como si hubiera un protocolo marcado en la llegada de un gato a una casa, la posé en el suelo de la entrada. Me intrigaban sus primeros pasos en el nuevo hogar. Comenzó a caminar con seguridad y a olisquearlo todo, como si diera por hecho que, en el momento en el que había pisado el parqué, aquella se había convertido en su nueva casa.

Aquí es importante resaltar que «su nueva casa» significaba «su» nueva casa. En nuestros primeros momentos juntos, recorrió la biblioteca, repasando los libros, hizo una primera incursión en el sofá, se metió en las habitaciones e incluso se asomó a la ventana de la cocina. Luego dio media vuelta y me miró con cara de «No está mal, me la quedo».

Los diez primeros minutos de un gato en tu vida son muy divertidos. Todo lo que hace es nuevo para ti y te resulta curioso e interesante (seguramente también para ellos, pero juegan con el instinto a favor). La primera carrera, el primer zarpazo, la primera vez que se sube a la mesa del salón..., lo que para ti es puro descubrimiento, para ellos es una forma de marcar los límites. Y esos límites, te lo quieras creer o no, se quedarán ahí de por vida.

Como buen padre primerizo, le puse la comida, el agua y el arenero en la misma esquina de la casa. Le llené el comedero hasta arriba, por si llegaba el apocalipsis, y le solté por la casa un par de juguetes (un erizo muy simpático y un peluche amarillo fosforito que desapareció el primer día y que, a pesar de su llamativo aspecto, no ha vuelto a aparecer). Ni comió ni bebió, pero se pegó una buena siesta en la estantería, sobre un catálogo de la obra del pintor riosellano Darío de Regoyos. Su actitud se resumía un poco a «Hala, ya tengo casa. Y ahora me voy a echar una siesta». Aquello ya me puso en alerta sobre en qué iba a consistir nuestra relación. Todos los gatos de los que tenía conocimiento habían pasado sus primeras horas e incluso días escondidos en recónditos rincones de su nuevo hogar. Mía no. Mía se había colocado justo en la estantería que queda encima del lugar en el que apoyo la cabeza cuando duermo la siesta en el sofá.

Durante esa primera tarde cambié las tradicionales visitas a vídeos chorras de gatos por consultas algo más profesionales. En Internet descubrí una web llamada La Loca de los Gatos, y ahí encontré algunos trucos. De repente, me vi construyendo un juguete con una caja vieja de zapatos, explorando rincones de la casa para dejarle premios escondidos (¡que los gatos son cazadores, muchachos!) y estudiando cada movimiento que hacía para ver si era síntoma de algo. Sí, comprobé varias veces si seguía respirando.

Cuando se despertó, jugué un rato con ella con la infeliz ilusión de cansarla de cara a la noche. Durante el primer día con un gato, uno aprende varias cosas: entre ellas que hacen lo que les da la gana, cuando les da la gana y de la forma que les da la gana. Mía decidió que quería ganarse mi corazón quedándose dormida en mi barriga mientras veíamos la televisión. Al mismo tiempo que un albanés de nombre Sadiku marcaba el gol de la victoria de su equipo ante Rumanía en la Eurocopa 2016, mi gata cruzaba sus patas delanteras sobre mi pecho, comenzaba a ronronear y cerraba los ojos.

Y claro, yo me derretía.

Sobre todo, porque no podía anticipar la noche que me esperaba, repleta de ronroneo, maullidos y una extraña afición por intentar masajear mi pelo. Apenas pude dormir veinte minutos seguidos. La primera noche con un gato también se aprende que cualquier cosa oculta debajo de una sábana o una manta es susceptible de ser mordida y arañada. Y también que el «¡No!» sirve para que te miren un segundo con cara de «¿Me estás hablando a mí?», pero que, pedagógicamente, el método aún presenta ciertas carencias evolutivas.

Fue un gran baño de realidad. Antes de aquella noche, pensaba que una mascota se asemejaba a un ser humano, es decir, que durante el día tenía actividad y que por las noches se dedicaba a dormir. Vamos, que contaba con que cuando yo me echara a dormir, ella haría lo mismo. Y por la mañana desayunaríamos juntos, con el sol entrando por la ventana y comentando las anécdotas de su primer día. Pero no. Mía no paró quieta en toda la noche. Y para alguien acostumbrado a vivir solo, escuchar permanentemente sonidos durante la noche resulta, cuando menos, inquietante. De repente, una carrera; luego, el sonido del sofá al ser rascado; después, un maullido incomprensible..., así hasta que decidió dormirse en el baño, sobre el felpudo de la ducha. Al verla allí, me tranquilicé y pensé «Venga, hasta mañana», pero a los diez minutos me levanté a comprobar si seguía allí. ¿Adivinan? Efectivamente, ya no estaba.

Y pensará el lector: «¡Qué pesado! ¿Por qué no la deja sola a su aire?». Pues muy sencillo: porque cerraba los ojos, intentaba dormir, comenzaba a oírla rondar mi cama y me la imaginaba saltando sobre mis ojos con sus afiladas uñas de dos meses.

Cuando amaneció, no sabía ya si la odiaba o la quería. De hecho, llamé a Bárbara y le dije que viniera a recogerla, que no estaba preparado para tener un animal. Pero en realidad no había marcha atrás. Ya había publicado una foto de Mía en mi perfil de Instagram, y ya se sabe que, en el mundo de los gatos, un Instagram es para siempre.

Mía y los veterinarios

«¿Quién conoce a los gatos? ¿No pretenderán conocerlos ustedes, por ejemplo?».

RAINER MARIA RILKE

Cuando adoptas un gato, no eres consciente de la cantidad de cosas que conlleva; en todo lo relacionado con la salud, por ejemplo.

No llevaba ni un día en casa y ya tenía varios encargos: tramitar la cartilla sanitaria, comenzar la desparasitación, comprobar que no tuviese leucemia ni el llamado sida de los gatos (seguramente el lector se haya percatado en alguna ocasión de que hay épocas con muchos gatos por la calle, que, de repente, desaparecen. Muy probablemente sea debido a esta enfermedad, no contagiosa para el ser humano, pero fulminante para los felinos, al hacer que caigan con la más mínima infección).

Busqué un veterinario cerca de casa y di con uno a escasos doscientos metros. Y allá nos dirigimos. Mía, metida en una mochila que colgué de mi pecho, iba asomando la cabeza, y todo el mundo con el que nos cruzábamos miraba hacia ella con ternura y comentaba lo bonita que era. Digamos que ahí nos empezamos a llevar mejor.

Cuando llegamos al veterinario, apenas nos hicieron esperar. Había confeccionado una lista de dudas considerablemente extensa que, básicamente, abarcaba todos los aspectos relacionados con el hecho de convivir con un gato, desde la comida a los juegos, pasando por la esterilización o la cantidad de pelo que iba a dejar por la casa. No sabía nada de nada. Y algunos aspectos, la verdad, prefería no saberlos.

El chico, muy majo y bastante paciente, respondió a muchas de mis cuestiones, pero no hubo *feeling* entre nosotros. Lo voy a confesar: decidí cambiar de veterinario por el simple hecho de que no mencionó lo buena y guapa que era mi gata. Que no me dijera que se portaba bien, pase, porque puede que él se estuviera anticipando a lo que estaba por venir, pero que no le dijera a aquella pequeña bola de pelo que era una gata preciosa... eso no estaba dispuesto a aceptarlo.

Por esa razón, al salir de la clínica, telefoneé a mi vecina y amiga Berta, dueña de dos perros –Tyrion y Roche–, quien me recomendó a su veterinaria. Me quedaba un poco más lejos de casa, pero como el primer día que fui le repitieron a Mía varias veces lo bonita que era, decidí quedarme allí.

A todo esto he de decir que contamos también con una televeterinaria: mi buena amiga Vero, a la que llamo cada vez que tengo una duda sobre mi gata y también cuando desconfío del diagnóstico que me han dado en la clínica (tema que viene un poco de familia: mi padre, por ejemplo, iba de médico en médico hasta dar con alguno que no solo le permitiera, sino que le recetara tomar un par de vinos al día. Siempre hay un roto para un descosido).

Total que Mía fue dando negativo en todas las pruebas. Lo único que tenía que hacer era limpiarle regularmente las orejas –las tenía llenas de ácaros– con un líquido ' `ppppp ppppppppppppppppppppppppppppppppppppppppppppppp ppppppppppppppppppppppppppp¡dddddddddddddddddddd ddddfzx (esto lo ha escrito ella), darle de comer una pasta para la desparasitación y controlar que sus excrementos fueran sólidos y estuvieran libres de larvas, con lo cual uno se convertía en una especie de agente CSI, girando aquellas cacas tropecientas veces en pos de algún indicio de vida. No sabía muy bien lo que buscaba, pero yo las examinaba con mucho interés.

Fueron días de idas y venidas constantes a la clínica; de análisis y vacunas; de llamadas para confirmar que todo estaba bien; de descartar las diferentes enfermedades que se pueden transmitir los gatos (y más cuando no sabemos quién es el padre de Mía).

Superada aquella primera etapa, y después de comprender que, por sus características, viviría permanentemente con legañas en los ojos, ya podía estar relativamente tranquilo con respecto a su salud. Digo relativamente porque, cuando uno es hipocondriaco, proyecta sus preocupaciones sobre la salud de su mascota. Como tiene que ser, por otro lado. En todas las casas hay un rincón en el que los padres guardan recuerdos de sus hijos: los regalos que les construimos el Día del Padre o de la Madre, el libro de escolarización, los premios (si existieron), los títulos (si los hubo)... En mi casa, en una repisa que separa la cocina del salón, se encuentra el rincón de Mía: su cartilla, sus primeras medicinas, los 980 gramos que pesaba en su primera revisión... Incluso guardo la pipeta con la que le suministré sus primeras dosis de la pasta desparasitadora. Creo que soy un padre bastante ñoño.

No, los gatos no caen siempre de pie

«El más bello privilegio de los gatos es el de salvarse con la gracia que los caracteriza, y de ir, no se sabe dónde, a hacer sus necesidades».

HONORÉ DE BALZAC.
Penas de amor de una gata inglesa

Durante las primeras semanas, y fruto de algún tipo de remordimiento (no se sabe si por la gata o por mí) Bárbara me visitaba casi todos los días para ayudarme con Mía. Una noche, mientras cenábamos lo que se conoce como «cena latina» –una *latina* de esto, una *latina* de lo otro, una *latina* de aquello...–, Mía insistió en subirse a la mesa del comedor. Como yo todavía me encontraba en ese punto en el que creía posible educarla como quería (punto que, por otra parte, duraría dos o tres días más), la bajaba una y otra vez de la mesa.

Lo hacía siguiendo estrictamente las instrucciones de mis veterinarias: la cogía por el pellejo que tiene sobre la nuca «igual que hacen sus madres»–, levantándola hasta la altura de mis ojos y, en ese momento y con gran solemnidad, le espetaba un rotundo y efusivo «¡No!». O, al menos, eso creía.

Los que tengan o hayan tenido gato sabrán que esta situación, a pesar de la solemnidad que se le presupone, resulta bastante cómica, porque el animal te observa con cara de no comprender qué demonios está pasando. Al mantenerlo agarrado por encima de la cabeza, su cuerpo queda completamente extendido, y sus patas cuelgan en el aire. Luego comienza a mirarte de una forma en la que parece darte a entender que sí, que entiende que la ha liado, pero qué quieres si es un gato. Y por último, llega el momento clave. Mientras os retáis con la mirada, ojos frente a ojos, y consideras que la batalla se empieza a decantar hacia tu lado, el minino mueve una pata delantera de forma sutil, haciendo ademán de acariciarte. Y ahí, si te queda un poco de corazón, te tienes que reír. Y has vuelto a perder, claro.

En una de las múltiples ocasiones en las que se subió a la mesa, no sé cómo intenté bajarla y se me resbaló de las manos, cayendo al suelo. No le dio tiempo a girarse antes del golpe y, al levantarse, cojeaba ostensiblemente. Entonces sucedieron dos cosas: la primera, que me acojoné, me acojoné de verdad; la segunda, que me di cuenta de que, aunque solo llevaba unos días en casa, entre los dos ya se había creado algún tipo de nexo. Mía iba caminando con la *patina* derecha en el aire y se notaba que le dolía mucho. Se movía de un lado para otro, y no era capaz de apoyarla. Mi primer pensamiento fue que la había dejado coja para siempre. Por mi mente pasaron infinidad de gatos y perros a los que había visto con una pata en cabestrillo. Pobre Mía, había ido a parar a la casa de un tipo que a las dos semanas la había convertido en una gata lisiada.

Aquella imagen me dolía en el alma. De verdad, no le deseo esa sensación ni a mi peor enemigo (que dicho sea de paso, no tengo, porque no soy un superhéroe). Bárbara y yo seguimos durante un rato a la gata por toda la casa y comprobamos que era incapaz de andar debidamente. Intentamos jugar con ella y darle algún premio, pero se notaba que le dolía y que no se movía con comodidad.

Llamé al servicio de urgencias de la clínica. También telefoneé a Vero, que me tranquilizó asegurándome que, aunque la pata estuviera rota, no pasaba nada, que volvería a caminar con normalidad. También me indicó que ni se me ocurriera darle ibuprofeno, ya que a los gatos les sienta fatal. No se me había pasado por la cabeza dárselo, pero, desde entonces, cada vez que lo tomo, me preocupo de no dejar el sobre a la vista.

Después de buscar en el móvil los horarios de la clínica y los centros de urgencias, me di cuenta de que, presa de los nervios, había hecho como en esas ocasiones en las que sacas el móvil para consultar la hora y, cuando lo guardas, no tienes ni idea de qué hora es. Total, que salimos para la clínica veterinaria y comenzamos la yincana. Allí nos encontramos con un cartel que anunciaba que, en caso de urgencia, acudiéramos a una clínica a no más de cinco minutos, que resultó estar también cerrada. En la puerta, otro cartel nos dirigía a un «hospital de animales» (sí, existen), y para allá nos fuimos. El taxi era una escena peculiar. Mía maullando dentro de una mochila, yo con un agobio de tres pares de narices y Bárbara intentando calmar a la gata y consolarme a mí. Y el taxista, flipando.

Nada más llegar, le explicamos a la chica de recepción lo ocurrido. Tomó nota con mucha atención y nos pidió que pusiéramos a Mía en el mostrador para ver cómo caminaba. En ese momento, Mía hizo como cuando los ordenadores de la oficina no funcionan, llamas al técnico y se ponen a funcionar tan normales: empezó a caminar sin cojear. Yo la miraba y mentalmente le transmitía este mensaje: «Oye, tía, no me jodas, cojea». Pero ella (la gata) se movía con total naturalidad. En ese momento, comencé a enviar mensajes mentales también a la recepcionista: «Te juro que no estoy loco, que hasta hace un minuto cojeaba».

Mis intentos telepáticos funcionaron y la joven nos dijo que por favor esperáramos, que estaban atendiendo a un perro y que después pasaría Mía.

Una vez en la consulta, la veterinaria comenzó por explorarle manualmente la pata. Mía, tumbada boca abajo, parecía estar en una sesión de manicura. La doctora señaló que no notaba crepitación y que no creía que estuviera rota. Yo formulaba preguntas del tipo «¿Volverá a caminar con normalidad? ¿Le duele mucho?», lo cual probablemente conseguía que la doctora se planteara si el ser que acompañaba a aquella gata era completo o no.

Luego me permití añadir un comentario técnico fruto de mi experiencia diaria (cinco días, en concreto) con gatos: «Hombre, la verdad es que cuando le tocas la pata no se queja. Eso es buena señal». A lo que la veterinaria contestó: «Para que un gato se queje, tiene que estar muy pero que muy mal». Vale, me lo anoto.

Se llevaron a Mía para hacerle una radiografía y ahí mis preguntas se trasladaron al ámbito profesional: «¿Cómo es una máquina de rayos X para animales? ¿Y cómo hacéis para que estén quietos?». Por si les interesa, se trata de un aparato completamente normal, no una máquina de esas que aparecen en los dibujos animados en las que entran los animales y se les ve el esqueleto.

Cuando salió la veterinaria con la placa en la mano, dijo que dudaba sobre si se había roto o no una falange. En la radiografía salía torcida, pero intuía que podía ser postural, ya que unos días antes había tenido un caso exactamente igual con otro gato.

Le inyectaron a Mía un analgésico y regresamos al mostrador de admisiones. Bárbara debía de sentirse un poco culpable por todo aquello e insistió en pagar ella la consulta. Yo le decía que no con la cabeza mientras le señalaba el lugar en el que colgaba la tabla de precios de las pruebas de urgencias. Cuando nos informaron del importe, entendió por qué.

Un consejo: si tenéis gato y le pasa algo, a no ser que sea una cosa muy grave y teniendo en cuenta que no se va a quejar mucho, no dudéis en esperar a hacer una radiografía a la mañana siguiente, cuando los precios sean normales.

De vuelta a casa, Mía estaba mucho mejor. Caminaba más o menos normal y se había tranquilizado.

Antes de ir a dormir, me llegó un mensaje de Bárbara. Había fotografiado la radiografía en la pantalla del ordenador de la consulta. En ella, se observaban las falanges de la pata de Mía. La más pequeña, en la esquina superior derecha, estaba un poco chuchurría. Sin embargo, lo más importante de esa imagen aparecía en el borde inferior. Era el nombre de la paciente. «Mía Zuazua», rezaba.

Sí, hice un curso
para educar a mi gata

«No puedes ser nunca dueño de un gato; en el mejor de
los casos te permite ser su acompañante».

HARRY SWANSON

Mi intención de devolver a Mía no duró mucho. Es más,
sabía que sería incapaz de hacerlo. Solamente llevaba un
día en casa y me estaba volviendo loco, pero se me partía el
alma al imaginármela sola por el mundo, de camino a una
nueva casa, como si hubiera hecho algo malo más allá de
no dejarme dormir.

El 26 de junio, mi amiga Vero, veterinaria y dueña de
Chloe, una maine coon que parece un lince, me envió una
foto por WhatsApp. Era una beca para el curso en línea *Conozca a su gatito*. Más allá de que no entiendo por qué a mí
me trataban de usted y a mi gata le ponían un diminutivo,
me pareció una buena idea. Algo friki, sí, pero necesaria.

Lo primero que quiero aclarar es que seguí el curso fuera
de mi jornada laboral, más que nada porque me avergon-
zaba que alguien pasara y me viera enganchado a la peda-
gogía felina. Si me hubieran pillado viendo Facebook o in-

cluso porno, hubiera sido mucho más sencillo de explicar. Lo segundo que quiero –y debo– confesar es que me adentré en el curso con pasión. Quería convertirme en el mejor padre gatuno del mundo. Durante la primera semana con un gato en tu vida, mantienes intacta la inocencia de pensar que lograrás educarlo conforme a lo que tú deseas, ilusión que desaparecía tras el mensaje de saludo del curso: «El objetivo principal es disfrutar más de nuestros gatos. Esto se consigue, básicamente, sabiendo cómo son y qué necesitan». ¿Queda claro? A ese primer mensaje de la profesora le siguieron los de varios alumnos. Había dos tipos de personas: las que se presentaban con su nombre y explicaban su situación, y las que hacían como que era su mascota la que hablaba. Pero lo importante es que todos estábamos más o menos igual: un gato acababa de llegar a nuestras vidas y nos encontrábamos muy perdidos.

El curso se dividía en dos secciones: una llamada «En la naturaleza», y otra de nombre «En casa». Sin embargo, todo el plan se fue un poco al traste cuando apareció en algún lugar la palabra «Examen», que ya saben que, a partir de cierta edad, produce infinitamente más miedo que los del colegio o la universidad. ¿Qué me iban a preguntar? ¿Me quitarían a Mía si suspendía? No me quedaba otra solución que atender.

La primera lección prometía: nos iba a explicar cómo han llegado los gatos hasta el lugar que ocupan hoy. Es decir, iban a descifrar cómo han conseguido someter al mundo. Según el ADN, los gatos que en la actualidad dominan nuestras casas provienen del gato salvaje africano. De aquella época deriva la feroz herencia que tan intactamente conservan, su forma de comportarse y de comunicarse, la manía de marcar el territorio y la costumbre de ocultar sus excrementos e incluso la forma en la que juegan. Eso sí, en la conversión hemos salido ganando, porque los gatos salvajes comían al día varios ratones, algún que otro pájaro y un par de lagartos, y a ver de dónde sacábamos hoy en día los lagartos...

La necesidad del gato de marcar su territorio viene precisamente de aquella época. La comida no abundaba y no estaba la cosa como para compartir.

De repente, el curso pasaba de una imagen de África a la de un piso; así, sin cortinillas ni transiciones, seguramente para que me fuera haciendo una idea. En un momento, y por medio de un curso en línea, mi casa había dejado de ser mi casa para convertirse en el nuevo hábitat de una descendiente del *Felis silvestris lybica*. Los gatos, decía el curso, presentan una tendencia solitaria, pero también quieren interactuar de vez en cuando. Traducción: los gatos son unos caprichosos. Lo cierto es que Mía siempre se ha mostrado bastante social. A veces, las menos, está a su aire dando vueltas por el piso, pero, por lo general, le gusta estar al tanto de lo que ocurre. No he conocido nunca a nadie que demuestre tanto interés como ella en el procedimiento de llenar un lavavajillas o en cualquier otra actividad doméstica. Entonces, ¿qué pasó para que una especie solitaria pasara a ser social? Pues, obviamente, que al gato le interesaba el cambio. Allá por el Neolítico, cuando el ser humano comenzó a cultivar alimentos, inició también su almacenaje. Los gatos, que son listos como un rayo, se dieron cuenta de que aquellos graneros atraían a roedores. Cedieron algo de independencia, pero se aseguraron comida y calor.

Lo cierto es que el curso desvelaba con mucha sutileza que el gato iba a hacer siempre lo que le diera la gana. Te lo iba comentando de una forma en la que, cuando me quise dar cuenta, las escrituras de la casa ya estaban a nombre de Mía.

El plano de reforma que hizo mi arquitecta quedó en desuso, y la casa pasó a dividirse en «Zona central» y «Zona periférica», es decir, la zona en la que el gato se alimenta y descansa y los lugares en los que hace sus necesidades y caza (lagartos de piso, se entiende). Curiosamente, las áreas elegidas por Mía coincidían con las mías salvo en un detalle: el curso nos recomendaba ofrecerle al gato algún lugar alto desde el que poder observar todo lo que sucede en la casa. A mí no me gusta mucho subirme a las estanterías, así que, en ese punto, estuvimos de acuerdo.

Seguía el curso:

«Debemos asegurarnos, cuando interactuamos con nuestro gato, de que la experiencia sea placentera para él». Ya sabíamos de qué lado estaban.

«Puede que a tu gatito no le caigas bien». Aquí miré de reojo a Mía, para ver si le caía bien. No sabría calificar la respuesta que obtuve.

«No debes castigar a tu gato. De lo contrario, vas a echar a perder la confianza y esa unión especial que quieres tener con él». Es decir, que me la estaba jugando a una carta en los primeros meses.

Pero, claro, el curso hablaba de un periodo de socialización que va de la tercera a la novena semana de vida del animal, y yo no tenía ni idea de la edad exacta de mi gata. De lo que sí tenía idea era de mi manía obsesiva, que me llevaba a pensar, por poner un ejemplo, que si Mía había llegado a las ocho semanas, justo había perdido la semana clave en la que su madre le iba a enseñar cómo portarse bien y ser una gata buena. Las enseñanzas tenían un toque apocalíptico: «Un 35 % de los dueños se queja de los arañazos, un 52 % lo hace porque defecan donde no corresponde, y un 70 % se lamenta de su agresividad». «Pero ¿esto qué es? ¿Qué tipo de animal maldito he metido en mi casa?», me preguntaba mientras hacía balance de la actitud de Mía: no se mostraba violenta, hacía sus necesidades en el arenero y aún no había comenzado a arañar el sofá. Pero claro, te lo pintan de una forma que, cuando arranca a hacerlo, crees que es un mal menor. Mejor tener un sofá rascado que un tigre enano que te ataque por las noches.

Comenzaba entonces la lección sobre la comunicación con los gatos, comunicación que, como bien presuponen, es unidireccional. A los mininos, la comunicación auditiva, que es la principal frecuencia humana, les importa más bien poco. Yo, al principio, cuando le metía un grito por subirse a la encimera y ni se giraba, sospechaba que Mía tenía problemas de oído o que estaba sorda. Pero claro, luego la llamaba en voz baja para avisarla de que iba a abrir una lata de comida húmeda y antes de pronunciar la eme de Mía, ya estaba a mi lado.

Descartadas la sordera y las conversaciones, fueran estas superficiales o místicas, nos quedaba profundizar en lo visual, lo táctil y lo olfativo. Ahí el curso comenzó a complicarse un poco. Apareció un cuadro con retratos robot de gatos en los que orejas y bigotes cambiaban de posición. Parecía el Twister aquel en el que te decían «Mano derecha al azul y pie izquierdo al rojo». Había todo tipo de combinaciones:

orejas hacia atrás y bigotes hacia abajo, te va a caer un arañazo; orejas hacia delante y bufido, te va a caer un arañazo y que sepas que el gato tiene miedo; orejas hacia arriba, pupilas dilatadas y bigotes en tensión, búscate un buen abogado, porque tienes un problema serio. Luego estaba la cola. Si la lleva hacia arriba, todo va bien. Pero si comienza a moverla, en contra de las creencias derivadas de los perros, es que algo no le está haciendo gracia.

El curso trataba a los alumnos con una distancia sentimentalmente dolorosa. Por ejemplo, para explicarnos que el gato, cuando se tumba boca arriba, en realidad nos está diciendo que quiere jugar con nosotros, hablaba de «reducción de distancia». Y, claro está, «jugar» nunca se mencionaba, sino que, imitando la voz del gato, decían: «Quiero interaccionar contigo». Qué feo es «interaccionar» con alguien que vive en tu casa, ¿no?

Hubo una píldora de información que me llamó especialmente la atención. Decía la voz metálica del curso: «No lo obligues a permanecer a tu lado». Y la frase sonaba a tráiler de película de terror (un tráiler bueno, que a veces los hacen fatal, pero eso es otra historia). Luego llegaba la parte tranquilizadora: «Que se vaya de repente no significa que le caigas mal o que nunca volverá a interactuar contigo». Pues menos mal, la verdad, porque si vamos a compartir piso durante algunos años, está bien algo de esperanza.

Un aprendizaje de cosecha propia que regalo al lector: si un gato se tumba boca arriba, seguramente desea «reducir la distancia», «interactuar contigo» y demás tecnicismos, pero no quiere que le rasques la barriga. REPITO: NO QUIERE QUE LE RASQUES LA BARRIGA.

Y, por fin, llegamos a la parte práctica del curso. Con los años, uno va aumentando su pragmatismo, y para entonces ya había tomado consciencia de que Mía iba a hacer lo que le diera la gana cuando le diera la gana (como por ejemplo ahora mismo: mientras tecleo estas líneas, se ha subido varias veces al ordenador, pulsando, curiosamente, la tecla M de forma impulsiva). Que yo lo que quería era que el curso me proporcionara algunos trucos para mitigar mi sometimiento, vaya.

Y me los dieron, vaya si me los dieron. Una vez finalizada la sesión correspondiente, me sentí listo para preparar el mejor arenero de la historia de los felinos: con su bandeja abierta, su arena aglomerante (es un poco más cara, pero merece la pena) y su capa justa de lecho (ni mucho ni poco, la apropiada para que la señorita esté a gusto). El tema del arenero no me atraía de manera especial, pero cuando la voz metálica del curso mencionó la posibilidad de que, ante un arenero incómodo, los gatos podían escoger el sofá como inodoro, valoré muy seriamente la necesidad de aplicarme. Para los amantes de la estadística, los gatos hacen entre dos y cuatro pises y, al menos, una caca al día.

El curso presentaba también una parte audiovisual en la que aparecían vídeos de gatos en actitudes variadas. Había uno, por ejemplo, que mostraba un gato frotándose contra las piernas de su dueño. Yo, lleno de inocencia, veía amor y complicidad entre ambos. Pero ahí estaba la voz metálica para sacarme de la ensoñación: «Este gesto significa: me caes bien, quiero formar parte de tu grupo social y estoy dispuesto a interaccionar». Pero ¿en qué pensaba Mefistófeles cuando diseñó a este animal? Y además la imagen en cuestión tenía truco: el gato se estaba frotando contra su amo porque este había abierto la puerta de la nevera y lo que seguramente le estaba diciendo era: «Quiero que interactúes conmigo cediéndome algo de comida de tu grupo social».

Precisamente, la última lección trataba sobre la comida. Recuerdo que, cuando era pequeño, había una gata en nuestro edificio de Ribadesella que todos los veranos paría ante la puerta de un dentista que vivía en el primero. No podía existir mayor diversión para un niño pequeño que bajar a ver a aquellos gatitos y dejarles un poco de leche. Lo cual, pensado con perspectiva, es un sinsentido. ¿Qué pensarían aquellos pobres gatitos, que se pasaban el día mamando leche de la madre, de aquel chaval que les dejaba un bol de leche de la Central Lechera Asturiana como si fuese el elixir de la eterna juventud? Pues no, amigos, los gatos adultos no deben beber leche porque les sienta fatal. Y aunque la imagen de un gatito lamiendo un platito lleno a rebosar de líquido blanco sea de lo más adorable que nos podemos encontrar, lo que los felinos tienen que comer son ratones, pájaros y lagartos, y como ese menú no cuadra con el estilo de vida de un piso en el centro de Madrid, lo mejor es combinar la comida seca con la húmeda. No obstante, como todo en el curso, nada iba a resultar tan fácil como parecía: que si cuidado con habituar al gato a un tipo de comida, que si ojo con dejar demasiada en el comedero... La verdad es que, por un lado, empezaba a estar harto del curso, por lo que decidí que fuera la propia gata la que se racionara la comida y, por otro, dado que soy un ser profundamente previsor, una vez que comprobé cuál era el pienso que le gustaba a Mía, compré el suficiente como para sobrevivir a una guerra nuclear (compartiéndolo, se entiende).

El curso había terminado. Antes de hacer el examen, me pasé por un rincón llamado «Dudas» en el que mis compañeros planteaban diferentes temas: una chica comentaba que su gato se comía la comida de su perro; otra preguntaba si un gato y un loro podían convivir; un chico explicaba que su gata no sabía enterrar las cacas; otra interrogaba sobre la forma de saber si su gato estaba gordo o no; y el último confesaba que a su gata le gustaba dormir sobre su cabeza. He de decir que la profesora, Lidia, contestaba a todo (sí, sí, a todo) con una paciencia infinita.

Total, que allí me dirigí: al examen. Con un par. Eran dos test. De 26 preguntas. Para aprobar, necesitaba acertar más de 20. En el primero saqué un 21; en el segundo, un 24. Ya estaba preparado para educar a mi gatita. Al menos, en teoría.

¿Los gatos tienen la nariz fría?

«Pero el gato
quiere ser solo gato
y todo gato es gato».
PABLO NERUDA

Mi amiga Vero trabaja en una clínica especializada en gatos en Oviedo. A ella le envié un WhatsApp el 18 de junio para anunciarle mis intenciones de adoptar una gata. Acogió la idea con tal efusividad que di por hecho que tener un gato resultaría mucho más fácil y placentero de lo que algunos afirman.

Comenzó entonces una relación 2.0 entre nosotros, complementada con llamadas estrictamente necesarias (lo prometo) para matizar algunos aspectos.

Atención a mi primera pregunta sobre gatos:

Pedro: «¿Qué hago para que no me rasque el sofá?».

Respuesta de una profesional: «Lo primero, llévala a un veterinario a desparasitar y testar de retrovirus».

Aquí van diversos extractos de algunas de nuestras conversaciones. No hay trampa ni edición.

Cuando Mía llegó a casa, le envié una foto de la gata y también las de varios rascadores y camas. Me recomendó un rascador con tres alturas, que me recuerda a los Lego que tenía de pequeño: tras varios montajes y desmontajes, sigue estando torcido. Seguro que me he saltado algún paso.

25 de junio de 2016

Vero: No pierdas tiempo con las camas. Va a dormir en cualquier lado. Yo le pillé como cuatro y pasó de todas.

Yo: ¿Seguro? ¿No tendrá frío en invierno?

Repregunté en pleno mes de junio por si acaso, comenzando así una serie de cuestiones absurdas que continúan presentes.

Vero: A ver, si quieres, píllale una cama, pero igual ni siquiera la mira. La mía a veces duerme en el lavabo. Si tiene frío, se te acurrucará cerca. Te va a encantar tener gato.

26 de junio de 2016

Yo: Es que no para quieta un segundo. Ayer por la noche no dejó de lamerme. ¿Es normal?

Aquí, como ya me empezaba a percatar de que le iba a dar bastante la tabarra, añadí: (soy padre primerizo). Así, entre paréntesis, como para que pasara desapercibido.

> Vero: Ay, qué mona. La mía no me lame. ¡Qué rica! Es normal que no pare quieta, los primeros días tiene que habituarse. Píllale si quieres un difusor de feromonas.

Vero me envió un mensaje con algunas precauciones:

27 de junio de 2016

> Vero: Recomendaciones básicas: los lirios son mortales para los gatos. La cebolla es muy tóxica para ellos. Y nada de flores de pascua o muérdago en Navidad. Vas a ser un padrazo, lo veo.

Sí, iba a ser un padrazo pero me quedaba sin el truco del muérdago para besar a las chicas en Navidad... Vero acompañó aquel mensaje con dos fotos: en la primera, un gato aparecía rodeado de los alimentos prohibidos (chocolate, café, frutos secos, Bacardí Mojito...); en la otra salía un gato, unos lirios y una tumba con el nombre del gatito. Digamos no a los lirios.

Ese mismo día por la noche, envié el siguiente mensaje:

Yo: ¿No pasa nada por que duerma durante el día, no? ¿No tendrá el sueño cambiado? Igual sufre *jet lag*.

Vero: Sí, seguro que es eso...

28 de junio de 2016

Yo: Le puse una lata de comida húmeda. ¿La puedo mezclar con el pienso?

Vero: ¡Claro!

30 de junio de 2016

Yo: Oye, mira cómo tiene el ojo.

(Mía se había despertado ese día con el ojo izquierdo algo cerrado).

Vero: A ver, mándame foto.

(Envío la foto).

> Vero: No pido una foto de Annie Leibovitz, pero que al menos se vea el ojo.

(Envío la foto estilo Annie Leibovitz).

> Vero: ¡No veo *ná*! ¿Tiene el ojo lloroso y con legañas verdes o es solo que no lo abre del todo?

> Yo: Que no lo abre del todo. Las legañas son rojas.

Entonces Vero me recomendó un colirio y citó la palabra «herpesvirus», que suena fatal, ¿o no?

> Yo: Meca, meca, eso suena muy mal.

> Vero: No te preocupes, no es contagioso para los humanos.

> Yo: Si lo digo por ella.

> Vero: Tranquilo, que es muy típico.

(A esta frase añadió una larga explicación sobre la dolencia, pero yo ya estaba escribiendo mi siguiente pregunta).

> Yo: No se le quedará así el ojo para toda la vida, ¿no?

> Vero: ¡Que no! Se cura... ¡Quién te verá con un hijo!

En los primeros días, Mía estornudaba bastante.

> *30 de junio de 2016*

> Yo: Oye, ¿el catarro puede ser porque siempre que me ducho ella se mete y se moja los pies?

> Vero: ¿Catarro? ¿Tiene catarro o solo estornuda de vez en cuando?

> Yo: Estornuda de vez en cuando.

> Vero: ¿Y tú no?

> Yo: Entendido.

Fue el día después de que Mía se cayera y se lastimara la pata. Obviamente llamé a Vero numerosas veces por la noche y por la mañana, pero cuando regresé a casa, Mía me bufó por primera vez en su vida. Esta era mi preocupación:

> *1 de julio de 2016*

> Yo: ¿Se rompió el amor?

> Vero: Serás bobo...

> *4 de julio de 2016*

> Yo: Tengo varias dudas. La primera: si me dejé el aire acondicionado encendido, ¿cogerá frío? No pasará nada, ¿no?

> Vero: No, no he sabido nunca de muertes por hipotermia debido a un descuido con el aire acondicionado... ¿Qué tal la pata?

> Yo: Yo creo que bien. No para de correr y de saltar.

Vero: Hombre, algo de reposo no le vendría nada mal para esa lesión. No dejes que salte mucho ni que haga el burro.

Yo: Pero ¿cómo le digo que repose si no para quieta? Ayer tuve que jugar un poco con ella porque estaba como enfadada conmigo porque no le hacía caso, que lo noté yo.

Vero: Ya, claro... Ni os dais cuenta cuando venimos de la peluquería pero sí cuando una gata está enfadada...

11 de julio de 2016

Yo: ¿Pasa algo porque haya pegado un par de lametones a un trozo de *foie*? Y quien dice un par, dice varios pares...

Vero: 😄 No, hombre, no. No pasa nada.

15 de julio de 2016

Vero: ¿Cómo va la zarpita?

> Yo: Estoy enamorado de ella. Pero de verdad, ¿eh? La quiero con locura. Y creo que ella a mí también. Es muy cariñosa conmigo.

(Como intuirán, la pata estaba perfectamente).

> Vero: Sé de lo que me hablas. Es que son una monada. Cuando ronronean, se te pasa todo.

> Yo: Hoy volví pronto a casa y me quedé dormido en el sofá y ella encima de mí, ronroneando y durmiendo.

> Vero: ¡Ay, qué rica!

7 de septiembre de 2016

> Yo: Oye, Vero, ¿es normal que ronronee todo el rato que está conmigo? Es que parece una moto del ruido que hace...

> Vero: Síííí... Eso es bueno.

Yo: Ahora la castigo con un pulverizador de agua cada vez que se sube a la encimera. Anda loca. Por cierto, ya empecé el curso *on-line*. ¿Crees que debo llevarla de viaje a la antigua Mesopotamia para que conozca sus orígenes?

Vero: Te veo capaz.

16 de septiembre de 2016

Yo: Oye, Vero, cada vez que puede se pone a dar lametazos a la mantequilla. Pregunta 1: no pasa nada, ¿no? (Lo hace hasta que me doy cuenta). Y pregunta 2: ¿no me transmitirá ninguna enfermedad gatuna?

Vero: No, si sus heces son normales, no pasa nada. La mantequilla no es tóxica. Y no te va a pegar nada. De lo contrario, yo tendría muchas enfermedades gatunas.

27 de octubre de 2016

Yo: Madre, le pisé el rabo sin querer y me metió un arañazo y un bufido... Y ahora anda mustia. El rabo no se rompe, ¿no? (Mensaje acompañado por una foto de la sangre que había en mi tobillo derecho).

Vero: Sí, se rompe. ¿Lo tiene recto? ¿Lo levanta? Al pisárselo, ¿ella salió corriendo y hubo tracción?

Yo: Sí, lo levanta y lo mueve. No hubo tracción porque me quitó de en medio con el arañazo.

Vero: Pues entonces todo ok.

Yo: Y el arañazo ¿qué?

Vero: Normal, le pisaste el rabo.

31 de octubre de 2016

Yo: El domingo tengo fabada en casa y vienen como diez personas. ¿Qué hago con ella? ¿La meto en un cuarto?

Vero: Sí, mejor enciérrala.

Yo: ¿Se enfadará?

Vero: ¡Qué va!

Yo: Por cierto, me dijo la veterinaria que se notaba que la quería mucho (a la gata, se entiende).

Vero: 😄

8 de noviembre de 2016

Yo: ¿Los gatos tienen la nariz fría?

Vero: Sí, no hay problema.

Tras la esterilización:

27 de diciembre de 2016

Yo: ¿Ya puedo volver a jugar con ella?

Vero: ¡Pues claro!

14 de enero de 2017

Yo: El día que tenga un hijo te juro que voy a pasar de él. Estoy gastando toda mi humanidad en esta gata.

Vero: 😄

12 de marzo de 2017

Yo: Oye, ahora le da por robarme trozos de todo lo que corto en la cocina: kiwis, patatas... Acabo de leer que las patatas son malas para los gatos, y no sé dónde metió el último trozo que me robó...

Vero: Tranquilo. No va a pasar nada porque se tome un trozo de patata. De verdad, despreocúpate.

8 de junio de 2017

Yo: No pasa nada porque se coma alguna mosca, ¿no?

Vero: No, lo hacen mucho.

Yo: Es que acaba de entrar una en casa
y anda encantada de la vida persiguiéndola.
Maúlla y todo de alegría.

Vero: Las caza, ¿no? Me refiero a que no pilla
moscas muertas, que eso sería muy raro.

Yo: Bueno, no sé yo si la va a cazar.
De momento, no...

Vero: Para ella, dar rienda suelta a su instinto
de caza es una alegría. A ver si hay suerte.

Yo: Es que Mía es un poco torpe.

Vero: 😊. Necesita practicar, aunque es verdad
que hay gatos más torpes.

Yo: Esta es muy torpe. Pero mucho.
Se pega unas leches...

Vero: Tú déjala que persiga moscas y si
se las come, no pasa nada.

Mía y su abuela (I)

«Mira, cuando un gato vive con nosotros, poco a poco nos vamos dando cuenta de que no solo cuidamos de él, sino que, por el mero hecho de estar a nuestro lado, nos hace compañía».

GENKI KAWAMURA.
Si los gatos desaparecieran del mundo

Mi madre no esperaba aquella llamada. Ni la esperaba ni la deseaba. Aquellas cuatro palabras recorrieron en un instante los 456 kilómetros que separan Madrid de Oviedo y cayeron como una losa sobre ella. Lo sentí claramente. Fue algo parecido al día en que le comuniqué que me incorporaba como consejero en el Real Oviedo, pero peor. Ella siempre me había dicho que si algún día me metía en el club, me desheredaba. Pero en aquel momento entendió que era una necesidad vital, que o entraba o el club de mis amores desaparecería, y su enfado se desvaneció en pocos minutos. Cuando le solté «Mamá, he adoptado una gata», pude percibir el disgusto gestándose.

Porque, para mi madre, aquella llamada era una especie de consumación de la derrota. Primero pensó que su hijo pequeño estaba como una chota, que probablemente se tratara de una chaladura momentánea y que quizá la gata volvería por donde llegó, pero como no tiene un pelo de tonta (me refiero a mi madre, aunque la gata es igual), a los cinco minutos se cercioró de que mi vida había cambiado para siempre de la noche a la mañana.

Y lo primero que pensó fue: «Ahora sí que sí, es imposible que se eche una novia, que se case y que tenga una vida normal». Desconozco la extraña asociación de ideas que la llevó a esta reflexión, pero creo que durante un tiempo me vio envejeciendo solo y rodeado de gatos, convertido en un ser (más) huraño, (más) hosco y (más) solitario. Los primeros meses fueron bastante tirantes, y el colmo del drama llegaba cuando no iba a Oviedo por no tener a nadie que se pudiera acercar a cuidar de Mía durante el fin de semana. «¿La quieres más que a mí?», me preguntaba mi madre. No era una cuestión de querer más o menos, ya que son amores totalmente diferentes, pero era verdad que la presencia de ese diminuto ser en mi vida me había asignado una nueva responsabilidad. Había surgido una especie de familia. No era la que mi madre esperaba, pero era una familia.

«¿Y qué come? ¿Y no hace caca y pis por la casa? ¿Y no se aburre tantas horas sola? ¿Y no te rasca los sofás? ¿Y dónde duerme? Y cuando te vayas unos días, ¿quién la va a cuidar?». Eran las preguntas recurrentes de nuestras conversaciones diarias. Para mi madre, Mía era un elemento extraño e incomprensible que había aparecido de repente, sin aviso previo, en la vida de su hijo. Y no alcanzaba a comprenderlo. «¿Esto significa que no vas a tener novia nunca más?», me preguntaba con asiduidad, dando por hecho que si una chica entraba en casa con la intención de quedarse, Mía se convertiría en tigre y la devoraría.

Mis hermanos se lo tomaron con más naturalidad. Cierto es que lo consideraron una excentricidad, pero la consideraban inofensiva (la excentricidad, no la gata), y por eso tras el incrédulo «¿Qué dices?» inicial, la incorporaron a la familia. Al poco de adoptarla, mi hermano vino con mi cuñada y mis sobrinas a pasar unos días en Madrid. Una tarde, Mía se quedó dormida encima de su pierna, y ahí es difícil resistirse. A mi hermana le costó más –y de alguna manera aún le tiene miedo–, pero ya la ha aceptado y se dirige a ella como si fuera una más de la familia.

Estaba claro que lo más difícil sería convencer a mi madre. Al fin y al cabo, se trataba de una lucha entre las dos más listas de la familia.

El nombre de Mía

«Estábamos completamente equivocados. De recoger un gato abandonado, nada. Ahora finalmente hemos podido saber la verdad. La verdad es que hemos descubierto que los que estábamos abandonados éramos nosotros».

ANTONIO BURGOS. *Gatos sin fronteras*

Ponerle nombre a una mascota es un reto. Y eso que en el caso de un gato puede resultar bastante más fácil que en el de un perro, ya que no te tienes que imaginar repitiéndolo cada vez que alguien se detiene a acariciarlo. Pero, aun así, hay que echarle una pensada, puesto que lo vas a utilizar bastante (no se imaginan ustedes cuánto) y seguramente lo vas a tener que explicar en unas cuantas ocasiones. Es, por tanto, un tema serio.

Lo primero a lo que recurres es a nombres de gatos famosos. Luego pasas por la etapa de los nombres originales (Cat Stevens se lleva la palma). Después se te ocurre emplear nombres de personas susceptibles de ser utilizados con gatos (todos, en realidad). Hubo un momento en el que estuvo a punto de caerle Matilda o el diminutivo Tilda. Y luego llegas a la etapa en la que abres libros al azar para dar con nombres diferentes. O también puedes hacer como Lola, una compañera de trabajo que bautiza a sus gatos o perros con nombres de otros animales. Le he pedido que me reserve Atún, por si algún día tengo otro gato. Y me dará igual que sea hembra o macho.

Cuando me preguntan por el nombre de Mía, todo el mundo trata de atribuirle un origen cinematográfico. Pero no, no se llama así por María de Lourdes Villiers Farrow, cuyo nombre artístico es Mia Farrow. También hay quien la identifica con Mia Wallace, el personaje interpretado por Uma Thurman en *Pulp Fiction*. Tampoco. Mía se llama así por una chica que trabajaba en mi casa. Era rumana. Muy trabajadora, muy buena y muy simpática. Como me veía un poco desastre, me cuidaba un poco más que al resto de algunos de mis amigos, a cuyas casas también acudía y a los que, ahora que lo pienso, no entiendo por qué juzgaba más ordenados y asentados que yo, porque son iguales o peores.

Mi relación con Mía era singular. Aunque llevaba cerca de un año trabajando en mi casa, no nos conocíamos en persona. La anterior chica había regresado a Rumanía y me había hablado de ella como una persona de confianza, así que le dio las llaves y las instrucciones de la casa. Hablábamos por WhatsApp o por teléfono.

Resultó que mi madre vino a verme un fin de semana. Llegaba a Madrid a mediodía, y salí del trabajo para recogerla en la estación de tren. Al llegar a casa, estaba Mía, que solía ir los viernes a las tres de la tarde. Cuando llegamos, la saludé como si la conociera de toda la vida, ya que tampoco quería explicarle a mi madre que nunca había visto a la persona que trabajaba en mi casa. Yo le hacía gestos de complicidad, intentando decirle que me siguiera la corriente y que dijera que sí a todo lo que le preguntara mi madre.

La cosa se comenzó a complicar cuando mi madre empezó su ronda de preguntas sobre mí, y claro, la pobre Mía me miraba implorando ayuda, ya que en realidad era la primera vez que nos veía a los dos. Mía había pasado el mismo tiempo con mi madre que conmigo.

Después de aquel primer encuentro, empezamos a coincidir más. Mía me reñía cuando la casa estaba más desordenada que de costumbre, identificaba sin problema las semanas en las que había trasnochado o tenía demasiado trabajo y me obligaba a comer sano.

Mía se puso mala unos meses después. Y falleció poco antes de que la gata llegara a su nuevo hogar. En recuerdo de ella, Mía se llama Mía. Se hubieran llevado realmente bien.

Aquel peluche amarillo fosforito

«De gatito jamás me ha ocurrido meterme yo mismo
una pata en el ojo, tocar el fuego o la luz o comer betún
en vez de *mousse* de cerezas, como suele ocurrir a los
niños pequeños».

E. T. A. HOFFMANN.
Opiniones del gato Murr

Tras el comedero, el bebedero y el arenero, ¿cuál es la siguiente necesidad que tiene un gato? Efectivamente, los juguetes. Mía llegó a casa acompañada de tres: un ratón muy
gracioso que regalaba una marca de comida, un erizo sim-
patiquísimo con cara de buena persona y un ser indescrip-
tible, color amarillo fosforito, que no he vuelto a ver desde
aquel primer día.

Al medirlo todo con la escala humana, daba por hecho que
Mía se apegaría a aquellos juguetes y que la acompañarían
de por vida, igual que a las personas, en ocasiones, las acom-
paña un peluche o una manta de la infancia. Pero, ¡ay, amigo!, los gatos son gatos, y eso implica que no se entretienen
mucho más de cinco minutos con el mismo objeto (al menos cuando hay alguien delante) y que un juguete no tiene

por qué ser necesariamente un objeto diseñado para el juego. ¿Quién ha dicho que un sofá o un mantel son aburridos? Las primeras semanas confié en aquellos juguetes y en una caja de zapatos que agujereé para introducir diversos premios, pero pronto me di cuenta de que no resultaban muy motivadores para ella. Y entonces sucedió. Uno de los principales errores que he cometido en mi corta experiencia como padre gatuno: di con esa maldita tienda en línea para mascotas. Se llamaba Zooplus. Mi vida estaba a punto de cambiar de una forma que no podía imaginar. Porque ante mis ojos se abrió, de repente, un universo nuevo, repleto de oportunidades de entretenimiento para mi gata. En el apartado «Juguetes para gatos» se ofrecía tal variedad de productos que me costaba concentrarme. Láseres, túneles, sacos, pelotas, aparatos eléctricos que, al parecer, desarrollaban sus sentidos... Soy un tipo criado en una capital de provincias conservadora, por lo que realicé una primera compra bastante modosita. Pedí un láser, unas pelotas, un plumero y como, al ir a pagar, unas letras rojas hábilmente situadas en la parte superior de la pantalla me indicaban que por dos euros más tendría el envío gratis, añadí a la compra una especie de fantasma rosa que se pone en el dedo y parece un títere.

La sensación al recibir aquel envío resultó algo decepcionante. En la tienda digital deben de tener unas medidas estándar para las cajas, y da igual que pidas un ratón que ochocientos. El caso es que llegó una caja enorme. Mía y yo abrimos aquel mostrenco con la emoción de dos niños en la mañana del día de Reyes, pero a mí me dio un poco de bajón al comprobar que la mayor parte del espacio estaba ocupado por plástico relleno de aire. Producto a producto, le enseñé la compra a Mía. Ella me miraba con cara de preguntarme si era imbécil. Solté un par de pelotas por la casa, monté el plumero, lancé el ratón debajo del sofá..., pero Mía no se movía de al lado de la caja. Empezaba a arrepentirme de aquella inversión cuando, de repente, saltó dentro del cartón y comenzó a jugar con el plástico relleno de aire. Estuvo así dos horas, hasta que las destrozó todas.

Tras aniquilar el relleno, comenzó a fijarse en los juguetes. Se acercaba al ratón, le metía un par de meneos, se tumbaba, lo mordía y lo dejaba. Con las pelotas la cosa fue bastante mejor. Venían seis, lo cual provocó que súbitamente, en mi casa, aparecieran esféricos de colores por cada rincón. También sirvieron para entender una de las grandes diferencias entre gatos y perros. Cuando lanzaba una pelota, Mía la perseguía para tocarla en el aire, la empujaba lo más lejos posible, luego iba hasta ella, la movía de pata a pata y se alejaba mientras con la mirada me lanzaba un mensaje de «ya puedes venir a por ella y volver a lanzarla».

Las visitas a la tienda de mascotas *on-line* se fueron haciendo más habituales. Incluso desarrollé una pequeña técnica para dar con los juguetes más populares. Combinaba la información de lo más vendido con la valoración de los usuarios y hacía una cata al azar de cinco comentarios sobre el producto. No conocía de nada a aquellas personas, pero la forma en la que escribían sus reseñas me hacía pensar en una especie de Carlos Boyero del mundo de los juguetes gatunos.

Los pedidos se fueron volviendo cada vez más elaborados y más arriesgados. Un día sumé unos cojines rellenos de valeriana. Otro día, un kit que incluía unos ratones rarísimos, con el cuerpo de un color y bañado en purpurina, las orejas de otro y la cola formada por tres plumas, y unas pelotas que parecían las bolas aquellas de discoteca. Semanas después compré un producto intrigante: una pelota «elaborada al 100% con menta. 100% natural, 100% diversión». Cuando llegó, me recordó a la Estrella de la Muerte de *La guerra de las galaxias*, lo único que la pelota hace bastante más ruido al rodar, porque pesa un quintal. Cada vez que asisto a una junta de la comunidad, espero el reproche de la vecina de abajo.

En un arranque de euforia, adquirí un ratón con sonido y led incorporados (para que se hagan una idea, mi televisión tiene sonido, pero no tecnología led), al que se le iluminan los ojos y que emite un extraño chirrido que parece venido de otro planeta cada vez que lo menean. A veces estoy tan tranquilo en casa y, de repente, empieza a sonar. Doy un brinco del susto, y Mía sale corriendo del susto que le he dado yo a ella.

Mi última adquisición demostró lo poco que me fijo en las cosas. Entre las ofertas vi un peluche-rascador con forma de ratón. Venía con todos los extras: papel crepitante, cola que castañea y menta. Lo sumé a la cesta, ya que estaba a mitad de precio. Resultó ser casi más grande que Mía. Tal vez hubiera sido útil prestar atención al nombre antes de adquirirlo: algo bautizado como Jumbo Ratón no puede ser muy pequeño.

En los últimos meses, he constatado una gran evolución de los juguetes para gatos. Se ve que el I+D del sector está a tope. Desde ratones teledirigidos a artefactos con sensores de movimientos que emiten trinos de pájaros cuando el animal se acerca. Una cosa loca, vaya. Sin embargo, por mucho progreso que haya, algo me lleva siempre a la melancolía de pensar en aquel extraño peluche amarillo fosforito. ¿Dónde estará? ¿Qué pensará de la vida? Seguro que Mía, cuando me voy, lo saca de su escondite secreto y juega con él, para volver a guardarlo cuando llega la noche. Al final, no es tan diferente de nosotros: tiene su juguete de la infancia y no lo quiere compartir con nadie.

Salir de casa

«El gato es el único animal que ha logrado domesticar al hombre».

MARCEL MAUSS

El ritual de salir de casa cada mañana cambia radicalmente cuando se adopta un gato. Hasta que Mía apareció en mi vida, ir a trabajar o partir de viaje no suponía preocupación alguna, más allá de cerrar bien la puerta.

A día de hoy, me he convertido en una especie de cíborg capaz de radiografiar la casa para identificar peligros potenciales. El botón de bloqueo de la vitrocerámica aún se debe de preguntar qué demonios ocurrió el 21 de junio de 2016, día en que se convirtió en un actor principal en la vivienda (hasta ese momento nadie lo había utilizado). Lo mismo pasa con la tostadora: cada mañana me preocupo de comprobar que está desenchufada. Evito dejar cuchillos a la vista, por lo que pueda ocurrir. Y repaso los vasos, tazas u objetos susceptibles de ser arrastrados hasta el vacío.

Esas precauciones también me han convertido en un ser más ordenado, hecho que tengo que agradecerle a Mía. A mis 35 años, una gata ha conseguido en un año lo que mis padres no consiguieron en tres décadas y media. En mi casa es difícil encontrar hoy el fregadero lleno o algún utensilio de cocina fuera de su sitio. También lo es que haya ropa sobre las sillas, el sofá o la cama. Cualquier dueño de gato sabrá que eso constituye una invitación manifiesta a que el animal comparta su pelaje con nosotros. Y que, si hay alguna prenda que quieras ponerte en los próximos días, es mejor que la guardes en el armario.

Una vez ordenada la casa (tampoco vayan a pensar que soy la perfección personificada: sigue habiendo calzoncillos por ahí de vez en cuando; todos los días, vaya), recorro todas las ventanas, comprobando que están cerradas, y me dirijo al momento preferido de Mía, que es cuando le escondo los premios. Esta costumbre arrancó en los primeros días de nuestra convivencia, cuando me agobiaba la cantidad de horas que pasa sola en casa (me sigue agobiando, pero lo pienso menos). La idea era que, a lo largo del día, fuera «cazando» premios escondidos por la casa. Pero claro, los gatos son listos y rápidos como las ardillas, y Mía encuentra todas las recompensas que le dejo antes de que traspase el umbral de la puerta. ¿Que cómo lo hace? Pues ha desarrollado una táctica que intuyo milenaria: seguirme allá donde voy en esos momentos, con la cabeza alta y la vista fija en mis manos. A veces hace como que busca en algún sitio en el que no he dejado nada, pero sé que se comporta así por compasión. Hay lugares en los que sabe que voy a esconder seguro algún premio. De hecho, cuando abro la que para ella es «la puerta del pecado», en la que guardo las golosinas, se dirige rauda a la caja de zapatos agujereada que le preparé el primer día. Sabe que allí va a caer el primero. Si hago bien el lanzamiento y logro introducir el premio en alguna esquina de la caja, puede que gane unos segundos clave para esconder algún aperitivo en algún rincón nuevo de la casa. Pero insisto en que es más complicado de lo que parece, porque se las sabe todas.

Y si lo escondes en un lugar que no conoces en el sentido gatuno, corres el riesgo de pasarte de innovador y encontrarte a la vuelta un montón de libros por el suelo; o de que no lo encuentre y tengas que señalárselo tú con el dedo, lo cual genera una situación absurda en la que la gata mira hacia tu dedo, pero no al lugar que estás indicando. Ella no entiende nada y tú te replanteas si de verdad son tan listos como dicen. Al final, terminas cogiendo el premio y dándoselo con la mano. Y ella lo come mientras piensa que no era tan difícil y que a veces los humanos nos complicamos demasiado la existencia.

Una última confesión: antes de salir, tengo la manía de comprobar que Mía está en casa. Ya sé que no guarda mucha lógica y que no puede haber salido por ningún lado, pero necesito mantener contacto visual con ella para despedirme y quedarme tranquilo. Si me está mirando, le digo adiós y la aviso de que volveré por la noche. Creo que ella piensa que tiene un dueño bastante raro y maniático. Y que no sabe señalar con el dedo.

La maleta de Mía

«Como todas las criaturas puras, los gatos son prácticos».
WILLIAM S. BURROUGHS

No es lo mismo salir de vacaciones solo que hacerlo con la familia. Porque, pasado el proceso de adaptación a tu mascota, esta pasa a ser parte de los tuyos. Ese proceso, por cierto, dura entre 24 y 48 horas, que es lo que tardas en cogerle cariño al animal. Yo a Mía quise devolverla después de la primera noche que pasamos juntos, que fue de traca, pero inmediatamente después recapacité, y hoy no entendería mi día a día sin ella.

Por eso planificamos las vacaciones juntos. Si me voy de Madrid más de tres días y no es por trabajo, me la llevo conmigo. Si es un fin de semana o un puente largo, siempre hay algún amigo dispuesto a acercarse a casa y pasar un rato con ella leyendo el periódico. Incluso, si tengo mucha suerte, alguna de mis amistades me pide la casa ese fin de semana, y entonces ya me quedo hipertranquilo, porque sé que va a dormir acompañada (preocupaciones de padre gatuno primerizo) y que va a haber bullicio, que es lo que en el fondo le gusta.

Pero si me marcho durante más días, me la tengo que llevar, principalmente porque la gata es mía y no puedo pedirle a nadie el compromiso de que se pase tantos días por mi casa, pero, sobre todo, porque la echo de menos. Me ocurre a veces, cuando estoy en Oviedo, en casa de mi madre, y me siento extraño al despertar porque no aparece de repente de un salto.

Como ya nos vamos conociendo, nuestros viajes en pareja transcurren con bastante fluidez. Soy consciente de que tendré que preparar la maleta a escondidas, y de que cada vez que me mueva a por algo de ropa, tendré que cerrar la puerta o la maleta. De lo contrario, nada más llegar al destino, me vería obligado a poner la lavadora con toda la ropa para quitar los pelos. No existe nada en el mundo que le guste más a Mía que una maleta. Bueno sí, una maleta a medio llenar. Porque así puede transferir sus pelos tanto a la ropa del fondo como a la que vendrá después. Son trucos de maldad felina que uno entiende con el tiempo. A veces pienso que en los controles de equipaje de aeropuertos y estaciones deberían contar con un equipo de gatos apostados sobre las máquinas. Son más fiables inspeccionando maletas que los rayos X.

Y luego está el asunto nada baladí de la maleta de Mía; sí, Mía también lleva mochila. La primera vez que me vieron aparecer con una bolsa y expliqué que era la maleta de la gata, mis amigos se partieron de risa. Pero es que el viaje de un gato es un asunto muy serio, porque son muy «especialitos». Y hay varios artículos que no pueden faltar. En el caso de mi gata, son indispensables su cojín (no me atrevo a lavarlo, no vaya a perder sus poderes mágicos de atracción y somnolencia), la pluma con la que juega, un par de pelotas que botan sin lógica física alguna, el Feliway *feromónico* y el peluche de turno.

Desde que Mía llegó a mi vida, lo primero que hago cuando salimos de viaje y llegamos a destino es instalar todos sus accesorios: arenero, comedero, bebedero, cojín y juguetes. Luego ya, si eso, deshago mi maleta. La jefa es la jefa.

Los veranos de Mía (I)

«Si fuera posible cruzar a un hombre con un gato, mejoraría el hombre, pero se deterioraría el gato».

MARK TWAIN

Antes de llegar a casa, Mía había pasado ya por dos domicilios distintos: la casa en la que nació y su primer destino de acogida. Cuando apenas llevaba un mes conmigo llegaba agosto y, por tanto, las vacaciones. Desde pequeño he pasado mis veranos en Ribadesella, un pueblo en la costa asturiana. Es decir, tres casas en cuatro meses. Casi nada para un gato, animal que tanto gusta de la rutina.

Si eres un agonías, la preparación del primer viaje con tu gato se puede considerar cercana a lo dramático. Durante dos semanas, aburrí a mis veterinarias con preguntas de todo tipo. ¿Qué me llevó? Feliway. ¿Se adaptará a la nueva casa? No sabemos, pero lleva Feliway. ¿Rascará los sofás? Por supuesto; lleva Feliway.

Descarté de inmediato la opción de dejarla todo el mes sola en Madrid con alguien que fuera a verla. También la posibilidad de alojarla en un hotel para animales. En realidad, lo que más me preocupaba era la integridad de la casa, ya que Mía había dado sobradas muestras de su capacidad de adaptación.

Y allá nos fuimos. Hacia el norte. Geográfico y emocional. Para mí era importante que a Mía le gustara Ribadesella, que se sintiera a gusto allí, porque voy mucho y ella también lo va a catar a menudo.

Pero como no soy un ser completo y el verano que me falta no es nunca el que está por venir, mi mente maquinó un extraño plan estival. Me explico: no sé a cuento de qué se me metió en la cabeza que Mía necesita un poco de libertad y de vida salvaje. Algo me decía que necesitaba liberar un poco su instinto y disfrutar de unos días de veraneo real. Es decir, como si fuera mi hija y creyera que unos días de campamento iban a venirle muy bien.

¿Qué solución encontré? Pues decidí dejarla la primera semana en casa de Bárbara, que tiene una casa con jardín en un pueblo a las afueras de Ribadesella. Allí, además, estaría con Micu, su gata. Así que podrían compartir unos días de vacaciones.

El día que las presentamos, a Micu no le hizo mucha gracia. Al principio bufó un poco y sus posturas corporales daban a entender que de un momento a otro empezaría a canear a aquella enana que acababa de aparecer en su vida. A esto hay que añadir que las tres sobrinas de Bárbara acababan de llegar a la casa. Póngase el lector en el lugar de esa pobre gata. En tres días pasó de estar sola en casa a tener tres niñas pequeñas y otra gata en su territorio. Un drama.

Pero como Mía es muy abierta y un poco pasota para este tipo de detalles, o no se enteró o no se quiso dar por aludida, y se dedicó a seguir a Micu allá donde fuera. Yo estaba encantado, porque las dos jugaban a perseguirse. Unas veces Micu perseguía a Mía y otras al revés. Las grabé en pleno juego y envié el vídeo a Vero, que me quitó de un plumazo la alegría: «Micu está de los nervios, se ve en las orejas, en el rabo y en la postura corporal». Vero tenía razón. En realidad, para Micu aquello era un poco como cuando tus padres te venían con el hijo pequeño de unos amigos y te decían que te tenías que hacer amigo suyo y jugar con él por decreto paternal. Aun así, creía que a mi gata le vendría bien un poco de disciplina y de jerarquía gatuna, así que allí se quedó.

Insisto en que soy bastante agonías, por ello me pasaba por allí todos los días, para controlar que todo estuviera en orden. Porque claro, por las noches estaban encerradas en casa, pero durante el día correteaban con libertad por un jardín que linda con los de otras casas y con una carretera. Sobre todo me acercaba por las noches, a la hora de la cena, para asegurarme de que Mía estaba ya en casa cuando cerraban. Y también para ver si me caía algo de cenar, claro. Una actitud bastante felina.

El día a día de Mía y de Micu era bastante simple. Andaban todo el tiempo corriendo de arriba abajo, subiéndose a los árboles, persiguiendo insectos y lagartijas, y desapareciendo durante ratos que se hacían eternos. Cuando eso sucedía, salíamos a buscarlas al grito de «¡Micu, Mía!». Catalina, la sobrina más pequeña, nos seguía y gritaba «¡Icumía!». Y así fue como Micu y Mía se convirtieron en una de esas parejas famosas que reúnen dos nombres en uno, como Brangelina (Brad Pitt y Angelina Jolie).

La verdad es que las escenas eran bastante cómicas, porque Mía era por aquel entonces una renacuaja con un rabo larguísimo en comparación con el resto de su cuerpo, e iba todo el rato imitando a Micu.

A finales de la semana, sucedieron dos cosas que me hicieron pensar que ya estaba bien de campamento y de libertad. Una fue que Mía se escapó y se metió en el jardín de la casa de al lado. Había averiguado la forma de salir, pero no era capaz de volver. Cuando la encontré, estaba quieta y algo asustada. No podía llegar hasta ella, porque la verja era bastante alta y ella no entendía mis gestos de que se alzara un poco para poder cogerla. Y es que ahora que lo pienso, ¿cómo iba a entenderme? Al final, conseguimos que se moviera hasta una zona donde la verja era más baja y la recogimos.

Otro día, mientras estábamos sentados en el porche, vi venir a Micu, pero no a Mía. Empecé a llamarla y no aparecía. De repente, vi en la carretera un gato de los mismos colores que Mía. Me dio un vuelco el corazón y salí corriendo en chanclas hacía allí. Y todos sabemos lo difícil que es correr con las chanclas puestas. Es un gesto amorfo y antiaerodinámico. Cuando ya estaba llegando a su altura, alguien me gritó «¡Pero si Mía está aquí, debajo de la tumbona!» y, efectivamente, vi que el gato de la carretera compartía colores con ella, pero era mucho más grande. Me di la vuelta y decidí que Mía se venía para casa conmigo. Viviría el resto del verano en un piso, pero le daría menos sustos a su dueño.

Supongo que aquel gato callejero nunca vio a nadie tan preocupado por él. Espero que no le diera tiempo a hacerse falsas ilusiones...

Entrevista con el vampiro

«¿Qué mayor regalo que el amor de un gato?».

CHARLES DICKENS

En el mundo felino existe un personaje casi tan apasionante como el gato: el colocador de gatos. Se trata de una persona que se dedica a ir por la vida enjaretando mininos y que, en los casos más profesionales, ni tan siquiera tiene gato. Colocar uno no es tan fácil como creen. Es un arte de sofisticadas técnicas y argumentos, adaptados en función de las necesidades.

Uno de los mejores exponentes de esta subespecie humana lo constituye mi amiga Bárbara. Fue la primera de la pandilla en adoptar un gato, aunque, en realidad, lo que hizo fue colocarle un gato a su madre, ya que Micu sigue viviendo en Asturias, mientras que ella trabaja en Madrid. La siguiente víctima fue un servidor, y juro que me defendí con uñas y dientes. Después cayó mi amigo Miguel. Sinceramente, si dos años atrás me retan a apostar un millón de euros a que Miguel no adoptaría un gato, me los hubiera jugado. Y los hubiera perdido, claro, porque cuatro meses después de Mía, llegó Lola (a ver, que no tengo un millón de euros, es una manera de hablar). La última víctima de Bárbara (que sepamos) es Isa, a la que no colocó directamente a León, pero a la que sí fue manejando mentalmente hasta que la no-interesada se percató de que «necesitaba» un gato y no lo sabía.

Por si alguien desea convertirse en colocador de gatos o busca escapar de sus trucos, en la siguiente entrevista encontrarán algunas claves:

Pregunta: ¿Cómo te convertiste en colocadora de gatos?

Respuesta: Pues en mi caso empecé... A ver, toda la vida había odiado a los gatos, pero desde que llegó Micu me gustaba tener gato.

P: Espera, espera, ¿tú no habías tenido un gato en tu vida?

R: No. La primera vez que cogí un gato fue para llevármelo para casa. A Micu. Eso fue en 2015.

P: ¿Y dónde lo cogiste?

R: Pues fue muy gracioso. A mí no me gustaban los gatos, pero cerca de nuestra casa vivían unos callejeros y mi madre siempre los alimentaba. En determinados días me mandaba a mí a llevarles la comida. Me daba una pereza horrible. Pero cuando mi madre no estaba, recordaba que tenía que ir a llevarles algo de comer sin que nadie me lo dijera. Es decir, que ya había algo ahí. Uno se llamaba Chicharito; otro, Tennessee; otro, Tres colores... Aparecían y desaparecían.

P: Pero a ti no te gustaban...

R: No, pero mi madre me decía todos los días: «Ya verás cómo a las dos en punto aparecen por aquí». Y efectivamente, más o menos a esa hora, se empezaban a oír los maullidos. Mi madre les compraba pienso y todo.

P: ¿Y por qué no te gustaban?

R: Porque cuando era pequeña y me tocaba bajar al garaje, siempre aparecía un gato de algún rincón y me daba un susto de muerte.

P: ¿Y cuándo se produjo el cambio?

R: Pues un día mi madre me dijo que la gata de una vecina había parido y que eran guapísimos todos. Me mandó fotos y una tarde nos acercamos hasta la casa a verlos. Y siempre que visitaba a mi madre, pasaba a ver a los *gatines*. La dueña de la casa me decía: «¡Lleva uno, mujer»; y yo: «Que no que no, que a mí no me gustan los gatos». «¿Cómo no te van a gustar? Pero mira qué ojos», me intentaba convencer ella, y yo iba avisando a mi madre de que la vecina nos quería endosar un gato.

P: ¿Y entonces llegó Micu?

R: Sí. Hay un momento clave en el proceso, en que pasas de no querer un gato a empezar a hablar de con cuál te quedarías. Nosotros ya decíamos: «De coger uno, el blanco». Pero el blanco era para el nieto de la dueña. Y esa es otra de las claves a la hora de colocar un gato: que te quedes sin el que, creías, estaba destinado para ti. Eso te da más ganas de tener uno. Y todo sucede sin que te des cuenta, porque en realidad sigues pensando que no quieres tener un gato y que no vas a caer, pero hace tiempo que estás perdido, aunque no lo sepas. Puede haber un paso intermedio, que es el de intentar autoconvencerte de que vas a compartir el gato con alguien, como si así te sintieras mejor, pero tampoco cuela.

P: ¿Con cuál os quedasteis?

R: Pues nos dijo la señora que había una muy tímida y muy buena. De hecho, de lo tímida que era no aparecía nunca por allí, hasta que salió y la cogí en brazos. Me la llevé a casa y se pasó dos días enteros detrás del radiador.

P: ¿Y en qué momento te convertiste en una colocadora oficial de gatos?

R: De repente me di cuenta de que me encantaba tener gato. Venía conmigo, me hacía caso, era supercariñosa, jugábamos... y cuando la oía ronronear, que nunca en mi vida había oído a un gato ronronear, y se pegaba a mí... pues me encantó. Cuando me iba de casa, la echaba de menos. Y claro, reflexioné: si esto me ocurre a mí, le puede ocurrir a cualquiera. Me pasaba el día hablando de las bondades del gato.

P: Y entonces te mudaste a Madrid y comenzaste la evangelización.

R: Sí. Me quería llevar a Micu conmigo, pero mi madre no me lo permitió. Y me di cuenta de que, de alguna manera, yo quería que la gente tuviera gato y que dejara de hablar mal de ellos, porque tenían muy mala prensa. La gente dice: «Es que a mí los gatos no me gustan». ¿Y tú qué sabes, si nunca tuviste un gato?

P: ¿Cómo fueron los inicios?

R: He de decir que, antes de escoger a mis primeras víctimas, yo había sucumbido ante las artes de aquella paisana vecina de mi madre. De ella aprendí ya algunos trucos. Mi primera víctima fue la más fácil: tú. Pensé: «A Pedro se lo coloco en un momento». Me mudaba a Madrid y me iba a quedar en tu casa hasta que encontrara piso, así que lo vi claro. Me llevaría a Micu conmigo. Pero tú te negabas: «No, no, ni de coña, que me rasca los sofás, que no, que no y que no, que en mi casa no entra un gato, y punto».

P: ¿Entonces?

R: Un día empezaste a hablar de vídeos de gatos e intuí claramente lo que iba a suceder.

P: Ya, pero de ver vídeos a tener un gato, hay un trecho.

R: Sí, pero repetí la táctica que empleé con mi madre. Te propuse tenerlo a medias, y tú seguías negándote: «Que no, que no, que me lo acabo comiendo yo». Pero ya me mandabas fotos de gatos, decías que, si tuvieras un gato, lo llamarías de tal o cual manera. Seguías diciendo que no, pero ya habías entrado por el aro.

P: ¿Cuál es la clave para consolidar la decisión?

R: Enviar de vez en cuando una foto, hablar siempre de las bondades de los gatos, citar a personas conocidas que tienen uno (o varios). Una táctica que funciona muy bien es no decir ni mu del tema durante quince días, porque genera necesidad. Eso, por ejemplo, lo estoy haciendo con mi próxima víctima. Es una amiga que no quiere saber nada de gatos, pero que después de varios días sin decirle nada, ya me pregunta ella directamente: «Entonces, ¿en qué quedó lo de mi gato?».

P: ¿Hay un punto de no retorno?

R: Sí, existe un momento en el cual ya ves que aquello no tiene vuelta atrás, que la víctima está convencida y que es cuestión de tiempo que el animal entre por su casa. Suele ser cuando se empieza a pensar en posibles nombres y a diferenciar entre unos gatos y otros.

P: ¿Cómo hiciste para colocarle un gato a Miguel?

R: Eso fue más cosa tuya. Una vez que te colocan un gato, adquieres la capacidad para colocar gatos. Miguel te preguntaba mucho por Mía, por cómo te recibía cuando llegabas a casa y por la compañía que te hacía, y oliste sangre. Luego ya se limitó a mandar un par de fotos y estaba hecho.

P: ¿Y a Isa?

R: Isa era un blanco fácil, porque ya había tenido gato, pero decía que soltaban mucho pelo y que estaba mucho más tranquila sin uno. Pero frases como «Con lo bien que ibas a estar tú con un gato» o «Los niños tienen que estar con animales, para aprender a relacionarse» ayudan mucho.

P: ¿Qué consejo darías a alguien que se quiere dedicar a colocar gatos?

R: Que lo coloque solo a gente que sepa con certeza que los va a cuidar. Estoy convencida de que los gatos te cambian la vida.

P: ¿Crees que existen personas a las que es imposible colocar un gato o crees que podrías lograrlo con cualquiera?

R: Sí, podría colocar un gato a cualquiera. Una vez estaba comiendo con mi amigo Bilbo, y conseguí convencerlo para ir hasta una casa a cuarenta kilómetros de Madrid a adoptar uno. Al final no lo cogimos porque la casa nos dio mal rollo. Ahora dice que quiere adoptar un zorro, pero eso ya queda fuera de mis competencias.

Esta es Mía

«Se le reprocha al gato su gusto por estar a sus anchas,
su predilección por los muebles más mullidos donde
descansar o jugar: igual que los hombres. De acechar
a los enemigos más débiles para comérselos: igual que
los hombres... De ser reacio a todas las obligaciones:
igual que los hombres una vez más».

JEAN-BAPTISTE SAY

Mía nació en abril de 2016. Era la más cariñosa y la más
tranquila de una camada de cuatro gatos; o, al menos, eso
me dijeron.

Su pelo es una mezcla de blanco y marrón café con leche.
Si la observas desde arriba, predomina el marrón. Si le das
la vuelta, es completamente blanca. Al mirarla cara a cara,
se ve que tiene algo más de marrón en el lado derecho, que
la nariz está rodeada de pelo blanco y que en la perilla hay
trazos de color. Si la observas por detrás, parece una rapera
del Bronx de Nueva York: las patas traseras son tan peludas
que se asemejan a un pantalón caído.

Su cola, que termina en anillos que alternan los colores, es enorme en comparación con el resto del cuerpo. Cuando era pequeña, era casi más larga que ella. Y no sabía dónde colocarla. Se pasaba el día moviéndola.

Sus pupilas son negras; el iris, amarillo. Siempre tiene legañas. Acostumbran a ser de color rojo oscuro. Cuando se las limpio con suero fisiológico, cierra los ojos con fuerza, como si se concentrara mucho para hacerme desaparecer, e intenta alejar la gasa con las zarpas delanteras.

Sus bigotes son larguísimos. Algunos de ellos terminan en ángulo recto, como si fueran cubistas. De la parte superior de los ojos le nacen unos pelos blancos larguísimos. Al principio pensaba que eran una extensión de los bigotes. No tenía mucho sentido, pero no entendía qué hacían ahí.

Como la mayor parte de los gatos, se asemeja bastante a un *gremlin*. Y posee, claro, sus dos vertientes: a veces es el dulce y bondadoso *Gizmo*; otras, se convierte en el irreverente y travieso monstruo. No hay, de momento, señales que anticipen con cuál de los dos te vas a encontrar. Puede pasar a tu lado, caminando tranquilamente, y lanzarte un mordisco preventivo para advertirte de que está ahí y mantiene intacto el instinto felino. Puede acurrucarse junto a ti con una delicadeza y una elegancia que te derretirán el corazón. A veces se obsesiona con una planta, una cortina o un mueble, y no para hasta dejar allí su sello; otras, se tumba tranquilamente en su rascador, a gozar de los rayos de sol en la cara.

Disfruta las caricias hasta que las deja de disfrutar. Cuando eso sucede, comienza a menear la cola. Si aun así continúas, lanza un mordisco al aire para avisarte de lo que te puede pasar. Prefiere que los mimos sean por la cara y por la nuca. Si la acaricio con el pulgar por debajo de la barbilla, cierra los ojos y ronronea. Cuando la mano baja por su espalda, se encorva y mueve la cola. Si sigues, se levanta y se va.

Cuando llego a casa, se tumba boca arriba y me permite masajearle la barriga. Solo unos segundos. Si me alargo demasiado, me morderá. Será un mordisco suave, que se tornará en lametazos en cuanto le diga «Nooooo». Si me preguntan cuánto es «demasiado» para un gato, que sepan que no tengo ni idea. Unos días son cinco segundos y otros, veinte.

Cuando me preparo para salir de casa, corre hacia la puerta y se aposta allí. Creo que es más para salir ella que para impedir que me vaya. Cuando cierro, maúlla un par de veces. Lo hace porque sabe que la oigo, para hacerme sentir mal.

Si me voy de viaje y dejo la maleta preparada el día anterior, duerme al lado. Al regresar y abrirla, se pone a jugar con las cremalleras. Supongo que busca el regalo que los padres traen a los hijos cuando viajan.

Cada seis meses, más o menos, cambia el lugar en el que duerme. Por las noches, la oigo pasear por la casa en su camino hacia el comedero.

Todas las mañanas se da un garbeo por mi cama, y pasa por encima de mí para cruzar de lado a lado. A veces, incluso, me pisa la cara. Lo único malo de estas visitas es que lo hace a la típica hora en la que solo quedan quince minutos para que suene el despertador. Si lo hiciera cuando faltan tres o cuatro horas, sería perfecto, que ya sabemos la felicidad que genera despertarte y comprobar que todavía te queda mucho tiempo para dormir. Pero claro, es una gata y no se dedica a buscar tu felicidad. Y eso que ella odia que la despierten para nada. Si la llamas mientras está dormida o la sorprendes durmiendo en algún rincón de la casa, te mira con esa cara que todos ponemos cuando alguien enciende de repente la luz en la habitación y nos despierta. Y te la puedes imaginar perfectamente haciendo ese ruido tan característico de fastidio que sale al juntar la lengua con el paladar mientras gira la cabeza para otro lado.

Es muy sociable, aunque se entiende mejor con los chicos que con las chicas. Y siempre tiene que ser la niña en el bautizo y la novia en la boda. Le encanta sumarse a la mesa cuando hay alguien comiendo. A veces se sienta en una silla y asoma la cabeza, pero por lo general no le agrada gozar de menos protagonismo que el menú. Si un día hago planchas (una o dos, tampoco se vayan a pensar), ¿adivinan dónde se coloca ella? Debajo de mi barriga, efectivamente.

Le interesa mucho el *rock*. Se duerme escuchando a la Creedence Clearwater Revival, a Led Zeppelin o a Bob Seger. Cuando suena *Champagne Supernova*, de Oasis, alza las orejas. Las *Variaciones Goldberg* no le gustan. Un día se las puse y me miró con cara de «no seas esnob». Y tenía razón, se las puse porque creía que pegaban mucho en una casa con gato, pero no las había escuchado en mi vida. Por ir de moderno.

Le flipa el agua. Siempre que hay un grifo abierto, introduce la zarpa y se la lleva a la boca. Le chifla (mucho) beber de los vasos de la gente. Cuando salgo de la ducha, entra ella y va dejando las huellas de sus patas húmedas por toda la casa. Me recuerdan al logo de Kelme.

Le encanta el pavo, pero no cualquier pavo. El de marca blanca solo lo come si el paquete está recién abierto. Cuando estoy fuera y algún amigo se acerca a darle de comer, me pide (mi amigo, se entiende, aunque intuyo que Mía también lo hace de alguna manera) que le deje pavo «del bueno», porque así le coge más cariño.

La televisión le da absolutamente igual. Aunque aparezcan otros gatos o perros ladrando. Eso sí, cuando juega el Oviedo se sube y comienza a perseguir la pelota. No falla. Y cuando el balón sale del tiro de cámara, mira detrás del aparato. Pero no creo que le gustara ser recogepelotas. Eso es más de perros.

El cojín mágico

«El hombre es civilizado en la medida que comprende a un gato».

GEORGE BERNARD SHAW

Una de las decisiones clave para que la convivencia con un gato se desarrolle de una forma más o menos civilizada reside en elegir correctamente el rascador. Después de barajar varias opciones, entre las que se encontraba la de forrar con cuerda una parte de un pilar visto que hay en mi casa, y de descubrir que existen gatos que prefieren rascar en horizontal y gatos a los que les gusta más hacerlo en vertical, me decanté por un armatroste de tres alturas que instalé junto a la ventana de la cocina, para que pudiera ver la vida pasar.

Los gatos rascan para marcar territorio y para afilar las uñas. Y también un poco para tocarte las narices o para ganarse un premio. Mía, cuando estoy cerca de la nevera, se pone a utilizar el rascador. Lo hace para que la vea y para que, estando como estoy cerca del pavo, se me ablande el corazón. Y lo logra, claro, aunque yo me engaño pensando que ella relacionará el rascar en su sitio con un premio. Pero vaya, que no.

El montaje del rascador resultó complicadito. Las instrucciones consistían en un dibujo minimalista en el que se da por hecho que el que lo va a leer es un tipo capaz de interpretar correctamente las formas y los espacios. Y no, no es el caso. Total, que lo monté y desmonté varias veces, y en todas ellas alguna de las bandejas quedaba inclinada. En el último intento me esforcé y todo quedó lo suficientemente poco inclinado como para ser aceptable para alguien que suspendía dibujo y tenía que volver a examinarse en septiembre. Orgulloso, le enseñé a Mía el resultado y decidí obviar las piezas que se habían quedado sin utilizar. El rascador está bien, y a Mía le encanta contemplar la vida de la plaza desde el segundo piso los sábados y los domingos. Sin embargo, lo que ninguno sospechábamos es que una pieza aparentemente accesoria se iba a convertir en vital para el día a día. Porque el rascador culmina, en su parte superior, en una especie de cesta de mimbre. En esa cesta venía un cojín redondo, color carne y suave como un peluche.

Una vez montado el rascador, el cojín estaba en el suelo. Mía se tumbó sobre él y se puso a dormir. Me daban ganas de mandarla a la mierda: me había gastado una pasta en aquel aparato y había invertido varias horas en instalarlo, y al final aquel cojín, que cantaba a la legua que estaba de relleno, se convertía en la estrella de la casa. Hacía girar los diferentes juguetes que colgaban del rascador. Pero nada, ella no se movía de su cojín.

Decidí entonces ponérselo en el sofá, un poco más allá de donde quedan mis pies si estoy tumbado, y desde aquel día, esa es la cama de Mía. Allí se tumba por las noches y se queda dormida mientras veo la televisión. Desde ahí me mira con cara de «¿tú te crees que son horas?» cuando me levanto en mitad de la noche a por un vaso de agua, y desde ahí arranca cuando se despierta, se da cuenta de que sigo tumbado y escala por mi cuerpo hasta llegar a mi pecho (y, a veces, a lamerme la poca barba que tengo).

Antes de recostarse sobre el cojín, repite un ritual: amasa la superficie con sus patas delanteras. Al mismo tiempo ronronea y entrecierra los ojos. Es como si estuviera anticipando el placer que le va a generar tumbarse en el objeto que amasa.

Y el cojín viene con nosotros a todos lados, claro. No hay viaje que haga Mía al que no la acompañe su cojín. ¿Que vamos a Oviedo? Allá va el cojín, en su maleta. ¿Que vamos a Ribadesella? Más de lo mismo. Y cuando llegamos a destino, los primeros días me dedico a seguirla con él en la mano, para dar con el sitio en el que quiere que se lo ponga. La situación me recuerda un poco a esos sirvientes calvos de las películas de Disney que siempre van detrás de la princesa llevando un cojín con un zapato o una joya. Pues un servidor lo mismo, pero detrás de una gata y con un cojín lleno de pelos.

Sin embargo, una cuestión es la ida y otra, la vuelta. En las primeras Navidades en casa de mi madre, me olvidé el cojín en Oviedo. Cuando llegamos a Madrid, Mía lo buscaba insistentemente en su rincón. No lo veía y me miraba con cara de no entender qué estaba ocurriendo. Mi hermana me lo tuvo que enviar por correo, pero debió de ser un correo de los años del conde de Montecristo, y no terminaba de llegar. Mía me miraba cada día con la misma cara de reproche y, ante la desesperación, me planteé adquirir un nuevo rascador para poder tener otro cojín (consulté primero si los vendían por separado, que no soy Onassis). Pero no hizo falta. Un día apareció un sobre encima de mi mesa del despacho, y allí estaba el cojín. Esa noche, claro está, Mía me castigó y durmió en el suelo.

En nuestro segundo verano juntos, después de recoger la casa de Ribadesella y cuando ya estábamos de camino a Oviedo, me empecé a comer la cabeza con que no había metido el cojín en el coche. Mi madre, que venía con nosotros, no entendía nada. Pero como es una santa, me sugirió que parásemos y que, de no llevarlo, diéramos la vuelta para recogerlo. Nos detuvimos en Villaviciosa, a unos cuarenta kilómetros. Y, efectivamente, me lo había olvidado. Regresamos para buscarlo.

No entiendo cómo, con lo importante que es ese elemento en nuestras vidas, lo olvido cada vez que vuelvo de viaje.

Ah, y una última confesión: no me atrevo a lavarlo. Temo que pierda sus condiciones mágicas, su tacto o su color. Creo que Mía me puede perdonar un olvido, pero no que me cargue el secreto que esconde su inesperada cama.

Mía y su abuela (II)

«Del gato me gusta su temperamento independiente e ingrato, que le impide sentir apego por alguien; la indiferencia con que pasa del salón al tejado».

FRANÇOIS-RENÉ DE CHATEAUBRIAND

Cuando uno adopta un gato, realiza un ejercicio mental de prevención de riesgos felinos. Da igual el proceso. Siempre se quedará corto. Aparecerán eventos hasta entonces no conflictivos que, de repente, bordean el drama. Las Navidades, por ejemplo. O, más aún, las primeras Navidades de tu gata en casa de tu madre.

El 23 de diciembre de 2016 Mía emprendió viaje hacia el norte, a Oviedo. Recién esterilizada (y con la necesidad de que la cosieran una segunda vez, ya que le dio por hurgar en los puntos) soportó un viaje con atascos y niebla que duró casi siete horas. Solo maullaba cuando oía su nombre.

Decidí llevarme a Mía de viaje por una razón muy sencilla y muy estúpida: se me partía el alma al imaginármela sola en Nochebuena. Por ello, y a pesar de que a mi madre no le hacía ninguna gracia, allá nos fuimos. Preparé una bolsa con sus juguetes preferidos, la comida y un dispensador de feromonas. En mi vida hubiera imaginado que iba a viajar con un dispensador de feromonas, y mucho menos que lo escribiría dos veces en dos líneas de un libro.

Nada más llegar a casa, al abrir su transportín, pasó olímpicamente de mi madre, que había salido a recibirnos, y se encaminó directamente a mi habitación. Supongo que fue el olor. Mi amiga Catalina me había comprado un arenero y dos recipientes para la comida y la bebida que eran del tamaño del gato de Manute Bol, por lo que tuve que robar un recipiente de la vajilla. A escondidas de mi madre, claro.

Mía pareció adaptarse bien. La primera noche estaba yo más preocupado que ella, a juzgar por las carreras que se pegó y por el hecho de que no me hizo caso en ningún momento. Escogió rápidamente un sitio en un sillón cercano a la ventana, y allí le coloqué su cojín. A la mañana siguiente, llegaba la primera prueba de fuego. En casa de mi madre trabaja Alma un par de horas al día. Y sí, lo han adivinado, es alérgica a los gatos. El encuentro derivó en una especie de prueba de las puertas de *Humor amarillo*, en la que Mía iba pasando de estancia en estancia en función de qué parte de la casa se estuviera limpiando en ese momento. Y ya se sabe lo poco amigos que son los gatos de las puertas cerradas. Mientras yo me leía la biografía de Bruce Springsteen, ella daba un concierto pegada al marco.

En casa de uno, los riesgos están más o menos controlados: la vitrocerámica siempre está bloqueada, nadie abre las ventanas y no se deja casi nada al azar de la maldad gatuna. Pero claro, en casa de tu madre de 77 años que, como es lógico, hace lo que le da la gana, tienes que imponer las normas del gato de una forma muy sutil y explicar, por ejemplo, que por muy tranquila que parezca, no es que de repente le vaya a dar una venada y saltar por la ventana, sino que tiene una cosa que se llama instinto y que por eso, al ver un pájaro, aunque no ha cazado uno en su vida, pierde el control sobre su cuerpo y viaja miles de años en el tiempo, hasta sus orígenes.

Mi madre lo intentaba, pero no le salía ser cariñosa con Mía. La llamaba «gati» e intentaba entablar conversaciones con ella (yo también lo hago a veces, así que menos risas). Y eso que casi no la vio rascar los sofás. Cuando eso sucedía, yo miraba a Mía con cara de «para quieta, que esta no es nuestra casa» y ella se paraba un segundo, me observaba, y adoptaba esa actitud tan felina: «Me da igual que sea o no nuestra casa, soy una gata y hago lo que me da la gana cuando me da la gana». Eso sí, Mía enseguida entendió que el sillón de mi madre es el sillón de mi madre... Tal vez por eso en cuanto ella se levantaba, corría para tenderse en lo alto del respaldo. Era un combate, y las dos lo sabían.

Nochevieja fue un drama. Había canelones para comer. Cuando llegué a casa, Mía estaba iniciando una incursión en la fuente. Como eran únicamente para mí, no dije nada. Separé la parte en la que había estado investigando y devoré el resto. Estaban exquisitos, por cierto.

Por la noche me fui a cenar a casa de unos amigos. Cuando llamé para felicitar el año, me dijeron que la habían tenido que encerrar en el cuarto de baño. Se había obsesionado con las uvas y no paraba de intentar llegar a los diferentes lugares a los que las movían. Seguramente a ella las uvas en sí le daban igual. Pero que le escondieran algo, eso ya eran palabras mayores.

También había metido la zarpa y la lengua en el paté de cabracho de la cena (como eso lo vio todo el mundo, no hubo manera de salvarlo). Cuando regresé, a las 4:30 de la mañana, no salió a recibirme a la puerta de casa. Me extrañó. Busqué por todos los sitios y no había rastro de ella. Abrí la puerta de la habitación de mi madre, por si se hubiera quedado encerrada (no entendía otro motivo por el que no había salido a recibirme, como siempre hace, que para algo es mi gata). Ni rastro. Abrí la puerta de la habitación de mi tía Marinieves, que había ido a pasar unos días con nosotros. Eché un vistazo rápido, de apenas un segundo. Nada. Y ahí empecé a preocuparme.

¿Y qué hace alguien como yo cuando se preocupa? Despertar a su madre para que lo ayude y, sobre todo, para compartir la preocupación con alguien con un mínimo de sentido común. A mi pobre madre casi le da algo; primero, por el susto de que la despierten a esas horas; segundo, por las hipótesis que se le pasaban por la cabeza (su principal desasosiego era que se hubiera quedado sin aire en un cajón); y después, por el miedo que debe de dar haber concebido a un hijo tan tonto.

Volví sobre mis pasos y entré a la habitación de mi tía, decidido a buscar con más calma. Y allí estaba Mía, en la habitación de Marinieves, que siempre duerme con la radio puesta. Y a mi gata le gustan las voces y la música. Cuando apareció, en Radio Nacional sonaba Vetusta Morla. Mi tía Marinieves es muy moderna. Total que a las cinco menos cuarto de la madrugada todos nos fuimos a dormir, empezando bien el año.

Con la llegada de 2017, las cosas comenzaron a ir mejor. Aunque, eso sí, mi madre seguía teniendo la misma conversación telefónica con todas las personas que llamaban a casa:

«Pedro bien, aquí está, pero no te lo pierdas, ¡que vino con gata!». Y comenzaba entonces una serie de explicaciones sobre la pedrada que de niño debió de recibir su hijo pequeño en la cabeza y sobre la eterna soltería a la que, por lo visto, estoy condenado.

Sin embargo, una tarde, al volver a casa, Mía me estaba esperando en la puerta, como hace siempre que no está escuchando Vetusta Morla en la habitación de mi tía Marinieves. Tras saludarnos, mi madre me dijo que había estado tumbada a su lado mientras ella dormía la siesta, y percibí algo de ilusión en sus palabras. En los días siguientes, por la mañana, siempre me preguntaba: «¿Dónde durmió Mía hoy, que no vino a verme?». Ahí estaba naciendo algo parecido no al amor, pero sí al cariño.

Y llegó el día de Reyes. Y, al lado de los regalos familiares apareció un pequeño rascador circular con ojos y una pelotita atada a una cuerda. Era el regalo de mi madre para Mía. «Es que es como mi nieta», afirmó.

En el viaje de regreso, Mía no pronunció maullido. Al llegar a Madrid, reconoció la casa, vio que todo estaba en orden, me lanzó una mirada de reproche por haber olvidado su cojín y se puso a dormir sobre mi pecho en el sofá. Creo que echaba de menos a su abuela.

Cuando me fui a dormir, sentía una extraña satisfacción: como de estar formando una nueva familia. Luego me di cuenta de que se trataba más bien del alivio de haber escapado de Oviedo sin que mi madre se diera cuenta de que el buey o la mula –no sé cuál es cuál– del belén tenía un buen pegote de celo en el cuello. Mía había soltado un zarpazo para dejar claro que aquella también era su casa.

¿Su gato es ágil? La mía, no

«Tigres, leones, panteras, elefantes, osos, perros, focas, delfines, caballos, camellos, chimpancés, gorilas, conejos, pulgas... ¡Todos han pasado por ello! Los únicos que nunca hemos hecho el imbécil en el circo... ¡somos los gatos!».

GARFIELD

Uno de los principales argumentos que utilizaron los colocadores de gatos para convencerme de que adoptara uno se basaba en su agilidad: «Es que caminan entre los objetos y ni los rozan», decían. «Caminan con una sutileza que hace que no te enteres de que están pasando a tu lado», añadían. «Saltan, corren y se suben a los sitios con una plasticidad que te atrapa», comentaban en una oda a las capacidades físicas de los felinos.

Pues, vaya por Dios, a mí me debió de tocar la única gata del mundo que es torpe. Porque sí, lo es. Lleva ya un año en casa y cada vez que arranca a correr, se choca con algo. Al principio pensaba que sería normal, que como era pequeña todavía no controlaba bien su cuerpo; que al llevar poco tiempo en casa no conocía bien los obstáculos; que era muy pasional y se entregaba al correr como si le fuera la vida en ello. Qué sé yo.

Pero no. Mía es un poco torpe. Cuando le tiro un premio, siempre se pasa de frenada y acaba contra la pared. Si se lo escondo entre libros, acabarán todos en el suelo. ¿Para qué meter la zarpa con elegancia y sutileza, pudiendo asegurar la caza de la presa con dos zarpazos rápidos y contundentes? A veces empieza a correr en dirección al rascador, que tiene tres alturas. Yo sé que su intención inicial es alcanzar la plataforma más alta de un impulso, pero siempre se queda a mitad de camino, enganchada al poste de cuerda, y se le ve en la cara que duda si continuar hacia arriba o aceptar la derrota y regresar al suelo.

Un día, al llegar yo a casa, salió corriendo por el descansillo hacia las escaleras que suben al cuarto piso. Cogió tal velocidad que no le dio tiempo a coordinar bien el proceso del salto. La emoción de escapar de casa e investigar el mundo exterior se sumaron a la rapidez de sus movimientos. El resultado: tras dar una voltereta en el aire, se dio con la cabeza contra la parte perpendicular al suelo y acabó patas arriba.

Cuando abro la nevera, siempre viene corriendo y, como ya he dicho, se pega a mí. De hecho, a veces, se cruza en mi camino y, obviamente sin querer, le doy una patada al moverme. Luego, mientras cojo lo que sea del frigorífico, sigue con el marcaje. Pero no es precisamente la sutileza lo que la caracteriza. Se adosa como si fuera un bloque de hormigón.

Creo que a veces llega a tomar consciencia de que no es Nadia Comaneci. Cuando jugamos con la pluma, la poso encima de la cama para que salte sobre ella (hacemos entrenamientos variados, ¿o qué se creían?), pero en ocasiones efectúa un movimiento rarísimo, que es correr en paralelo al suelo por el lateral de la cama, un poco como cuando los vehículos de *bobsleigh* (ese deporte que todos conocimos gracias a Jamaica) toman una curva a gran velocidad. Otros días llega corriendo hasta unos pasos de la cama y, cuando está a punto de brincar, se lo piensa dos veces, reduce el ritmo y se queda esperando a que me mueva.

Tampoco es una característica que me importe mucho, la verdad. Entre mis amigos, hay un subgrupo conocido como Los Maizones. Un «maizón», en asturiano, define a alguien dócil y poco espabilado; bobalicón, vaya. Pero más allá de lo que diga el diccionario, conlleva una carga semántica otorgada por generaciones y generaciones que viene a añadir un toque de torpeza, un poco de descoordinación y otro de inoportunidad. Un «maizón» –el maíz que sobresale del resto– es el típico al que se le cae una bandeja cargada de comida, que se tropieza permanentemente por la calle o que inicia un cántico creyendo que todo el mundo lo va a seguir y se hace el silencio. Es decir, un servidor. Cuántas veces habré escuchado la expresión «Dios, qué maizón eres». Y ahora soy yo el que se lo suelta a Mía (como el abuelo del anuncio de Werther's Original) cada vez que se choca con algo cuando jugamos: «Ay, hija, qué maizona eres».

Pero claro, en la logia gatuna no está permitido revelar los defectos de la especie; al menos, no con extraños. Entre gatunos, podemos confesar las taras de los nuestros. Pero cuando conversamos con gente que no está dentro del sistema, debemos mantener las formas. De ahí que, cada vez que alguien me pregunta por qué tengo una gata, respondo: «Es que me hace muchísima compañía. Y es que no sabes lo ágiles que son, pasan por encima de la mesa sin tocar nada, con una elegancia casi hipnótica». Es el gran secreto que nos legaron los egipcios. Y ¡ay de aquel que ose desvelarlo!

Una decisión importante

«Necesitamos gatos que nos necesitan. Nos inquieta
que no lo hacen. Sin embargo, si no nos necesitan,
parece que nos aman».

JEFFREY MOUSSAIEFF MASSON

A los pocos meses de adoptar a Mía, llegó el momento de
decidir si castrarla o no. Los argumentos a favor de hacerlo
eran restarle probabilidades a varias enfermedades y aho-
rrarnos el celo teniendo en cuenta que no hay muchas posibilidades de que cate varón. (La expresión «gata en celo» no
hace justicia a lo que es una gata en celo. Solo los que han
convivido con una en esa situación saben lo que son esos
maullidos de desesperación constantes). En contra de la cas-
tración emergían la duda de jugar de alguna manera a ser
Dios y, por otro lado, el hecho de que siempre dices «Bueno,
a lo mejor un día, con el gato del vecino..., una camada de
pequeñas Mías...».

Al final, pesó la opinión de todos los veterinarios. La
no-castración no era una opción. Así que un viernes por
la mañana salí de casa con Mía dentro del transportín, camino de la clínica. No era una sensación agradable; una

operación es una operación. La pobre me observaba con la cara de miedo que pone cada vez que vamos por la calle, y yo tampoco quería mirarla mucho a los ojos para que no notara mi nerviosismo.

Cuando la dejé en la clínica, sentí una pena horrible. Y eso que en la clínica nos tratan con un cariño y una paciencia indescriptibles. Al despedirme casi me pongo a llorar. La auxiliar se percató y me dijo: «Estate tranquilo, que es una operación muy sencilla. En cuanto acabemos, te llamamos para decirte que ha salido todo bien y que puedes venir a buscarla».

Me pasé toda la mañana mirando el móvil. Cuando por fin comenzó a vibrar y escuché «Pedro, te llamo de la clínica. Ha salido todo bien. Ahora está dormida todavía, pero puedes pasar a recogerla por la tarde», me sentí como en esas escenas de las películas en las que suena música y todo es felicidad.

Cuando llegué a la consulta, ya se había despertado. Estaba tumbada y muy tranquila. Me informaron de que habían intentado ponerle un collar isabelino para que no se hurgara en la cicatriz, pero que había sido imposible porque se lo quitaba todo el rato. Tenía toda la tripa rapada y se podían ver perfectamente los puntos. Era un contraste curioso: la mata de pelo que gasta y, de repente, un tramo de carne rosada. Carmen, una de las veterinarias, me pidió que vigilara que no anduviera en la herida y que los primeros días no jugara mucho con ella, para evitar sustos.

Nos fuimos para casa. Me habían advertido de que podía mostrarse un poco tristona al principio, pero nada más llegar se comportó como siempre. Corrió a beber y se refugió en su rincón. Comprobé que no había investigado en su barriga y me fui a acostar. Cuando me desperté, llegó el drama. Mía había estado toda la noche dándole con la lengua a la cicatriz y se había abierto los puntos. Tenía un poco de sangre, así que salí volando para la clínica.

«Se ha abierto la herida. Hay que volver a coserla». Era sábado por la mañana y tenía que ir a impartir clase a un máster de comunicación. La opción de telefonear media hora antes de la sesión y decir «Veréis, no voy a poder ir hoy a dar clase porque mi gata ha tenido un percance» no me parecía muy profesional, así que contacté con mi amigo Goyo para pedirle que por favor fuera él a recoger a Mía antes de la hora de cierre de la clínica. Goyo quiere mucho a Mía, así que no hizo falta más que decírselo.

Al salir de la clase, tenía un mensaje suyo: «Mía ya está en casa. Le han colocado un collar isabelino con varios seguros. No sabes lo que ha sido ponérselo. No se dejaba. Qué tía». Diez minutos más tarde abrí la puerta y Mía salió a recibirme. Ya había logrado quitarse el collar, que le colgaba del cuello, y llevaba tal cantidad de pequeños arneses que parecía una paracaidista recién aterrizada en las playas de Normandía.

Creo que fue nuestra peor tarde juntos. Una pesadilla. Yo no hacía más que mirar para ella, y ella no hacía más que lamerse la barriga. Salí de casa solo para hacer recados fugaces y hubo momentos de verdadera desesperación. Llamé a Vero doscientas veces, pero la pobre no podía darme ninguna solución. Ponerle el collar era imposible. Cada vez que lo intentaba, Mía se volvía loca y empezaba a mover las patas delanteras a una velocidad que jamás había visto. Bajé corriendo a la farmacia, a comprar una gasa elástica. Intenté envolver la barriga de Mía con ella, pero le apretaba y no dejaba de rascarse en la zona. Después salí a comprarle un *body*, pero no encontré ninguno, por lo que al llegar a casa busqué una camiseta vieja y comencé a cortarla. Nunca he sido un genio con las manualidades, así que pueden imaginarse el resultado de aquel experimento: un trozo de tela con cuatro agujeros, uno para cada pata, que intenté colocarle, haciendo un nudo en la parte superior del lomo. Mía me observaba como diciendo: «Pero ¿tú eres tonto?».

Pasé toda la semana yendo y viniendo a casa desde el trabajo. Cuando llegaba, iba directo a verla, la levantaba y miraba la barriga. Yo veía aquellos puntos cada día de una forma distinta. Incluso cambiaban de color (para mí, claro). Mandaba fotos constantemente a Vero y solo deseaba que pasaran volando los siete días necesarios para la correcta cicatrización de la herida.

Tocaba ir para Oviedo por Navidad. Vero se acercó hasta casa de mi madre para quitarle los puntos. Mía se portó muy bien durante todo el proceso. La sensación de alivio y descanso que experimenté tuvo que quedarse en nada comparada con lo que debió de sentir Mía, harta de que la levantara por los aires cada media hora para mirarle la barriga.

Mía y la CIA:
Operación Gatito Acústico

«He estudiado muchos filósofos y muchos gatos. La sabiduría de los gatos es infinitamente superior».

HIPPOLYTE TAINE

Al principio pensaba que mi gata era sorda. O que tenía algún tipo de disfunción auditiva. Que no oía bien, vaya. Los primeros días, cuando la llamaba, no es que no apareciera, sino que incluso estando en la misma habitación, ni tan siquiera giraba la cabeza para mirarme. Podía entender que aún no supiera que se llamaba Mía, pero no me entraba en la cabeza que ante mi insistencia (puedo llegar a ser realmente pesado) no hiciera ni el ademán de prestarme atención. No solo lo pensaba yo, que conste; algunos amigos venían a casa y me decían: «¿Tu gata es sorda?».

No, obviamente no lo era. Sencillamente, pasaba de todos. Tardé unos cuantos días en darme cuenta de que lo que padecía era un déficit voluntario de atención: en un par de semanas, no solo identificaba perfectamente el sonido del frigorífico al abrirse y el de los premios al salir de su recipiente, sino que era capaz de distinguir cualquier objeto que cayera al suelo en cualquier rincón de la casa; aunque fuera una pluma.

Por eso, cuando leí la historia de la Operación Gatito Acústico de la CIA, no me entraba en la cabeza que unos tipos que, según todas las películas, son los más inteligentes del mundo, intentaran durante años entrenar a gatos para convertirlos en espías. Por cierto, la misión se llamaba en inglés *Acoustic Kitty*, que realmente suena más profesional que Gatito Acústico; que uno vuelve a casa después de trabajar todo el día en la CIA, le preguntan qué tal el día, y no es lo mismo decir que has estado trabajando en la Operación Gatito Acústico que en la *Acoustic Kitty Mission* (léase con voz de agente de inteligencia y tono solemne).

Pero a lo que vamos, que me descentro. ¿De verdad los agentes de la CIA creyeron en algún momento que podían entrenar a los gatos para que hicieran lo que les pidieran? ¿No había nadie con gato o con un amigo dueño de uno? ¿No se dieron cuenta, en los primeros días, de que aquello no iba a ninguna parte?

Según explican Robert Wallace y H. Keith Melton en su libro *Spycraft*, la idea surgió tras comprobar que, durante las reuniones de un jefe de estado asiático con su equipo, había multitud de gatos campando a sus anchas por la sala en que se celebraba el encuentro. Nadie reparaba en ellos, así que alguien dedujo que serían muy buenos espías.

Desde el principio se consideró un experimento de alto riesgo. Comenzaron los ensayos para insertar a los gatos dispositivos electrónicos, que constaban de antena, micrófono, transmisor y batería. La clave estaba en lograr introducirlos en el cuerpo del animal de tal forma que no afectara a las cualidades por las que querían contar con ellos como agentes infiltrados: si el gato actuaba raro, llamaría la atención; si el animal perdía agilidad o movilidad, dejaba de ser el espía que necesitaban.

El transmisor no dio problemas, pero la carne de gato, por si no lo sabían, es muy mala conductora y dificultaba el funcionamiento del micrófono, por lo que optaron por las orejas como punto de asiento para el aparato, que enlazaba con un cable muy fino que hacía las veces de antena y que iba cosido al pelo del gato.

Ya lo tenían. El sistema funcionaba, las reacciones de los gatos entraban dentro de la normalidad (de la normalidad de los gatos, se entiende) y, una vez sopesadas las posibles respuestas negativas de la opinión pública por la manipulación de animales, decidieron dar luz verde a la operación. Solo les quedaba un pequeño detalle: que el gato hiciera lo que ellos querían, que fuera a donde ellos le indicaran y que volviera cuando ellos se lo dijeran. Una quimera, vaya.

Las dudas sobre la viabilidad de la misión surgieron ya en las primeras semanas de entrenamiento de los animales. No había manera de controlar sus movimientos. Además, habían elegido a los gatos por su capacidad para percibir todos los sonidos, pero no habían contado con que esa virtud era, al mismo tiempo, un vicio, ya que los gatos se distraían con cada nuevo ruido. Si ya era difícil que encararan una dirección concreta, imagínense pedirles que atendieran solo a ciertos sonidos. También se percataron de que si al animal le entraba hambre, la misión se iría inmediatamente al traste. Hicieron algunas pruebas en diferentes escenarios, pero no hubo manera de sacar nada de provecho.

Hay una leyenda urbana que dice que llegaron a intentar colar un gato en la embajada de la Unión Soviética y que el gato fue tan sigiloso en su aproximación que un coche se lo llevó por delante. Pero es falso. ¿Quién se puede creer que hubieran llegado hasta el punto de lograr que un gato encarara el camino de la embajada que le habían indicado? Físicamente imposible. Lo que seguramente sí sucedió fue que, en algún entrenamiento, un taxi arrolló a alguno de los aprendices de espía.

La memoria del proyecto venía a decir que todo había ido muy bien, que las pruebas no habían ido del todo mal, y concluían que un gato podía ser entrenado para recorrer distancias cortas. Peeeero, no lo tenían tan claro como pudiera parecer, porque en el tercer punto decían que bueno, que sí, que todo bien, pero que al final no, porque resulta que aquello tenía toda la pinta de que en situaciones reales no iba a funcionar. «No sería práctico», fue el eufemismo que utilizaron para no cabrear a los gatos del mundo entero.

Intrigado por la historia, me puse en contacto con el Departamento de Comunicación de la CIA. Me atendieron con una educación exquisita para básicamente decirme que ellos estaban allí para asuntos más serios que hablar de gatitos. Después de varios correos electrónicos y una llamada, terminaron por indicarme dónde encontrar toda la información sobre la misión. En agradecimiento por su amabilidad, les envié una foto de Mía. «¡Es adorable!», me contestaron. Y me fui a dormir encantado de la vida, pensando en que una foto de mi gata adornaba las paredes de la Agencia Central de Inteligencia estadounidense. Y que solo me había costado un par de semanas entender la complejidad de los gatos. ¡Chúpate esa, Tío Sam!

La logia gatuna

«Dos personas, al conocerse, se relajan totalmente cuando descubren que ambas tienen gatos. Y se zambullen en las anécdotas».

CHARLOTTE GRAY

A los asturianos nos pasa una cosa muy curiosa y es que, cuando estamos lejos de nuestra tierra y nos encontramos con otro asturiano, enseguida congeniamos. «¿Eres asturiano?». En cuanto escuchas el acento y lo identificas como familiar, empieza una conversación sobre la localidad de procedencia, los amigos y conocidos en común, el equipo de fútbol preferido (lo ideal es que sean del Oviedo, pero no todos son perfectos, claro), el cómo echamos de menos la sidra y, por supuesto, lo bonita y singular que es nuestra tierra. Los asturianos queremos mucho a Asturias, orballe o no. Y, cuando estamos fuera, nos intentamos ayudar unos a otros en la medida de lo posible. Cuando estamos allí, somos tan cainitas como el resto, por supuesto.

Ese compañerismo de paisanaje en el exterior tiene sus raíces históricas en la emigración asturiana a América de los siglos XIX y XX. Allá donde fueran, e iban a muchos sitios, se agrupaban y se ayudaban unos a otros. En ciudades como México o La Habana, el Centro Asturiano se instalaba en lugares emblemáticos, en edificios con empaque. Una de las primeras iniciativas de esas sociedades fue la de financiar el viaje de regreso a Asturias de aquellas mujeres que habían enviudado en América.

Bueno, pues tener un gato es un poco como ser asturiano. Cuando descubres que tu interlocutor es también gatuno, nace una química difícil de explicar. Y no importa que sea una persona hacia la que abrigues incontables prejuicios, que te caiga mal o que te parezca imbécil. En cuanto pronuncie ese «Yo también tengo gato», cierto mecanismo hará clic en tu mente y todo cambiará. Seguramente sea cuestión de feromonas. O de la toxoplasmosis.

Cuando comencé a escribir en el blog, descubrí que muchísima gente del periódico tenía gato. Pero fue porque ellos se acercaban a contármelo. Era como una especie de confesión: «Oye, que yo también soy de los tuyos. Puedes contar conmigo». Y entonces empiezas a tejer una especie de sociedad secreta en la que traficas con información, productos de todo tipo, trucos y experiencias.

Se trata de una sociedad que no tiene nada que ver con la perruna. No hay que olvidar que los perros salen a la calle tres veces al día acompañados de sus dueños y que, precisamente, esa presencia activa del animal en la vida de su amo lo convierte casi en un instrumento de socialización: los canes rompen la barrera de la incómoda presentación inicial, del comienzo de una conversación. Los dueños de perros hacen pandilla allá donde van, y se los puede encontrar en parques, charlando amigablemente y jugando con los animales.

Los dueños de gatos lo tenemos un poco más complicado. Aunque las redes sociales nos han facilitado algo el trabajo, no puedes emplear todo tu tiempo en estar pendiente de lo que hacen todas las personas de tu entorno y, a no ser que ese día presentes un arañazo en la cara, resulta complicado que te identifiquen de primeras como un gatuno. Es más, rezarás para que no te identifiquen a raíz de los numerosos pelos que llevas en la ropa.

Aun así, los gatunos estamos muy unidos. Sufrimos en silencio el destrozo de nuestros sofás y la incomprensión de nuestras madres, que creen que los perros son mucho más inteligentes que los gatos, cuando en realidad lo que quieren decir es que a los perros les dices que hagan algo y obedecen, mientras que los gatos pasan olímpicamente de ti. Es decir, que prefieren un hijo con más aptitudes caninas que felinas.

Y también somos un poco secta. Alicia, la secretaria de dirección, me avisa de vez en cuando para que me acerque a su sitio. Y, sin que me diga nada, sé que me va a ofrecer un regalito para Mía (por lo general, una maceta con hierba gatera, que la vuelve loca) y que pondremos en común las últimas novedades en rascadores o juguetes (susurrando, por supuesto). Si me entero de que el gato de Javi, un compañero del Área de Especiales, ha saltado desde un tercer piso y se ha roto algún que otro hueso, me interesaré por su estado hasta que sepa que está totalmente recuperado. A veces –muchas– compartimos fotos de nuestros gatos. La escena es como la de las abuelas y madres que sacan fotos de sus nietos e hijos de la cartera, pero con móviles.

Pero, por encima de todo, la principal virtud de la masonería felina es la de poner en funcionamiento la red de contactos cuando un cachorro abandonado necesita ser adoptado. Ahí ponemos en funcionamiento toda la red, y no paramos hasta conseguirle un hogar. Poco a poco y hablando bajito estamos colonizando el mundo. Exactamente igual que los asturianos.

Morir de amor

«El más pequeño felino es una obra maestra».

LEONARDO DA VINCI

A la vuelta de las primeras vacaciones de Navidad y fruto de mis manías compulsivas, noté que Mía respiraba de forma algo acelerada. No es que me fijara porque sí, sino que tiene explicación. No es muy lógica, pero es una explicación al fin y al cabo. El caso es que una tarde, estando en Oviedo, me fijé en lo plácidamente que dormía. Hubo incluso un momento en el que me preocupé, porque pillé ese instante entre respiraciones en el que parece que el tiempo se detiene, y supuse que no tenía aliento. Al momento advertí que su tripa se hinchaba y pensé: «Qué a gusto está. Qué envidia de siesta».

De nuevo en Madrid, una noche me fijé en que presentaba una respiración algo acelerada. En ese momento no le di más importancia, pero como soy bastante hipocondriaco, aquello se me quedó en la cabeza. Al día siguiente volví a notar que respiraba demasiado rápido. Teleconsulté a Vero, que me aconsejó que no me preocupara, que contara las respiraciones por minuto y que la mantuviera informada. Vero no era consciente de que aquello implicaba que me pondría a contar las respiraciones a la mínima ocasión, y que todas la veces que aparecieran entre los parámetros normales (por si les interesa, están entre 20 y 30 por minuto, aunque tampoco pasa nada si suben un poco de 30) no serían suficientes para calmar mis miedos. Incluso cogí una libreta y apunté: «Respiraciones Mía». Aunque fuera manual, constituía la primera hoja de Excel que elaboraba en mi vida.

Alguna vez subían por encima de 30, incluso de 40, pero no notaba a Vero muy preocupada al otro lado del teléfono. Como me conoce, me dijo que la llevara a mi veterinaria para que le diera un vistazo y me quedara tranquilo.

Para allá me fui, transportín en mano.

Cuando llegué, me dio un poco de vergüenza explicar la situación: que había notado algo raro, que llevaba días contando las respiraciones, que aunque sabía que las cifras eran normales tenía la sensación de que algo no iba bien... Creo recordar que hubo un momento en el que Sofía miró a la gata y le hizo un leve gesto con la cabeza hacía mí como queriéndole decir: «Está la luz prendida, pero no hay nadie en casa, compañera». Pero como mis veterinarias son muy pacientes y muy comprensivas y ya me conocían, decidieron que aquello requería una dosis especial de cariño.

Sofía miró con calma a Mía. La exploró, le tomó la temperatura y me informó de que todo estaba dentro de la normalidad. Mi expresión no debió de reflejar convencimiento, por lo que me dijo que, si quería, le hacía una placa, para «quedarnos tranquilos». Sé que usó la primera persona del plural para que no me sintiera muy mal. Le dije que sí, que «mejor la hacemos», experimentando ya una total integración en aquella consulta.

Como buen hipocondriaco, la prueba no me preocupaba lo más mínimo: lo que me daba miedo era el resultado. Sofía salió, la puso en el proyector y mientras la miraba, dijo que no veía nada, pero que, para «quedarnos tranquilos» podía enviarla al radiólogo y que este la examinara. Y añadió: «A veces los dueños tienen una conexión especial con sus mascotas y pueden intuir cosas que no se ven». Honestamente, en aquel momento no quería tener ningún tipo de intuición ni de conexión especial. Lo que quería era ser un pesado que estaba empeñado en que su gata tenía algo que, en realidad, no tenía.

Como no me llamaban, decidí llamar yo al cabo de una semana. Me cogió Raquel, una de las auxiliares. Ella no estaba al tanto de que había ido con Mía la semana anterior, por lo que tuvo que preguntar. Podía oír la conversación, pero no llegaba a percibir lo que estaban diciendo. Cuando se puso de nuevo al teléfono, me dijo: «Pedro, sí, me dice Sofía que vengas por aquí esta tarde porque le han visto unos puntos de asma o algo...». Ahora, viéndolo con perspectiva, me imagino a Sofía saliendo de la consulta y gesticulando hacia Raquel para que no me contara nada, como diciendo: «Para, para, no le digas nada que se nos tira por un puente».

Me quedé paralizado. Y con mucho miedo. Bajé a ver a Goyo, uno de mis mejores amigos, a su despacho. Goyo tiene a Norma, una alaskan malamute preciosa que el primer día que salió a la calle se meó encima de mi corbata; no porque yo estuviera tumbado en el suelo, sino porque la cogí en brazos, ya que no podía tocar el suelo hasta que le pasara el efecto de las primeras vacunas. Necesitaba un amigo. Más aún, necesitaba un amigo con mascota que entendiera lo mal que lo estaba pasando. Y ahí estaba Goyo. Me dijo que no me preocupara, que saldríamos un poco antes del trabajo y que él me acercaría al veterinario para que no perdiera tiempo.

Me pasé la tarde buscando en Google información sobre el asma en gatos. Como con todo, había quien lo pintaba de una forma dramática como los que aseguraban que los gatos hacían una vida perfectamente normal. Fruto de los hipervínculos, terminé viendo un vídeo sobre cómo colocarle una máscara con el inhalador a un gato.

De camino allí, iba totalmente absorto en mis pensamientos. Daba vueltas a la conversación con Raquel y analizaba cada palabra, dando por hecho que no me habían querido informar por teléfono de lo grave del asunto. Y, de repente, me puse a llorar. «Pero ¿qué te pasa?», me preguntó Goyo, y solo fui capaz de contestar, con lágrimas en los ojos: «Que me muero si le pasa algo a Mía». En aquel corto trayecto de camino al veterinario, me di cuenta de lo mucho que quería a mi gata, de hasta qué punto se había incorporado a mi vida, de cómo se había convertido ya en una parte imprescindible de ella.

Al llegar a la clínica, Carmen, la otra veterinaria, me estaba esperando. Advirtió mis ojos medio llorosos y quiso tranquilizarme: «La radióloga le ha visto dos puntitos muy pequeños de asma a Mía, pero no es nada grave: yo tengo dos gatos y los dos son asmáticos». Tampoco tenía mucho que añadir, pero la pobre me vio tan acongojado que se sintió obligada a decirme algo más. Me pidió que, si le daba un ataque de asma, intentara grabarlo con el móvil (muestra de que no me conocía lo suficiente, ya que, de producirse, sería más probable que Mía me grabara a mí presa de un ataque de nervios). Me puso el vídeo que había visto por la mañana (en el minuto cuatro confesé que ya lo había visto) y me repitió que de verdad no me preocupara, asegurándome que era un hecho muy común en los gatos.

Cuando llegué a casa, me tumbé en el suelo al lado de Mía. Telefoneé a todo el mundo al que había informado de la crisis durante el día y, por alguna razón, me acordé de una canción de La Bien Querida que dice algo así como «yo muero de amor por ti, cada vez que me miras muero de amor...». Y me di cuenta de que no lo sabía, pero hacía ya tiempo que moría de amor por Mía.

«... y hasta cuando me esquivas yo muero de amor...».

La quiniela de Mía

«El gato se conforma con lo que es, se contenta con lo que tiene. No sabe lo que es la envidia. Dicen los japoneses que la hierba siempre parece más verde en la ribera de enfrente. A nosotros nos basta con nuestra propia orilla».

GÉRARD VINCENT. *Akenatón.*
La historia de la humanidad contada por un gato

Al cumplirse seis meses de la llegada de Mía a casa, hice balance. Y la sensación fue bastante curiosa. Me di cuenta de la cantidad de experiencias que habíamos compartido, y también de que el tiempo pasa volando. Había transcurrido medio año, pero a mí me parecía que llevábamos toda la vida juntos. Es más, no era capaz de recordar cómo era mi casa antes de tener una gata.

Pensando en las batallas libradas durante todo este tiempo, me viene a la cabeza la imagen de una especie de quiniela en la que yo represento el equipo de casa y ella, el visitante. Para los que no estén familiarizados con este juego de apuestas, la quiniela se basa en los partidos de fútbol. Se escogen 15 partidos (todos los de Primera y algunos de Segunda) y hay que acertar si ganará el equipo de casa (1), el de fuera (2) o si habrá un empate (X).

Así quedaría la quiniela de mis primeros seis meses con Mía.

No subirse a la encimera. (2). Batalla perdida. Al menos al principio se cortaba un poco y no saltaba estando yo presente, pero ya ni eso. Cuando regreso a casa, suelo encontrarme algunos pelos suyos por la zona, pero claro, no puedo reñirla de forma retrospectiva, porque no entendería nada. Y cuando estoy, si la pillo en el momento del bote y digo «¡No!», se reprime y espera un rato para subirse. Eso sí, si está ya ahí arriba, baja escopetada en cuanto ve que me levanto.

No amasar el pelo. (1). Cuando Mía llegó a casa, tenía una manía que casi parecía un vicio: amasar mi pelo cuando estaba tumbado. Y digo lo de vicio porque ronroneaba como una loca al tiempo que lo hacía. Es más, ponía tal cara de disfrute que era incapaz de decirle nada. Al parecer, se trata de una actitud propia de los gatos que se han separado de sus madres demasiado pronto. Amasan (en este caso, la cabeza) en recuerdo de la barriga de su progenitora. Y por lo visto, les hace sentir bien. Hace tiempo que Mía amasa únicamente su cojín, pero a veces me despierto y la encuentro junto a mi cabeza, mirando el pelo y como recordando lo feliz que era cuando posaba allí sus zarpas.

No subirse a la mesa. (X). En realidad pongo un empate por compasión conmigo mismo. Aunque es cierto que, cuando la bajo, no vuelve a subirse. Pero me hace mucha gracia porque cada vez que voy a cogerla para devolverla al suelo, se coloca detrás de un vaso y se queda inmóvil, confiando en que no la vea. Es como si creyera que tiene la capa élfica aquella que utilizaban los *hobbits* en *El señor* *de los anillos* y que impedía que sus enemigos los vieran. A veces se queda sentada en una de las sillas. Y entonces la escena resulta verdaderamente cómica, porque se ve su cabeza, minúscula y a la altura de la mesa, girando con cada movimiento como si de un partido de tenis se tratara. En ocasiones creo que le gustaría sumarse a la conversación.

No meterse en la ducha mientras hay alguien. (X). Esto es un empate claro, una muestra de lo fácil que es entenderse con un gato; cuando el gato quiere, claro. Mía se mete en la ducha y espera a ver cómo cae el agua. Una vez que empieza a acercarse peligrosamente a donde ella está, sale corriendo y se queda en el exterior persiguiendo las gotas que se deslizan por la mampara.

Dejar en paz el papel higiénico. (2). Esto fue una sorpresa, la verdad. Como no abro el cajón en el que lo guardo más que cuando lo necesito, no era consciente de la evolución que había experimentado este asunto. Lo que me encontré allí se podría definir como «Anarquía en la celulosa». No recuerdo el último rollo que ha llegado intacto a mis manos. No piensen que Mía es Houdini: puede acceder al cajón por la parte trasera del armario.

Recibir y enseñar la casa a los invitados. (1). A ver, obviamente no enseña la casa a nadie, pero me hace mucha gracia su actitud. Cada vez que recibimos visitas, o cada vez que vuelvo yo, se sitúa delante de la persona en cuestión y empieza a caminar mirando hacia ambos lados. Parece que está diciendo: «Mira, este es el salón. No hagas, por favor, ningún comentario sobre los sofás. Aquí la cocina, en donde tengo las cosas de comer y de beber. Allí el rascador, desde donde miro la vida pasar».

No dormir en la cama. (1). Uno de mis principales miedos cuando Mía llegó a casa era que, mientras estaba durmiendo, me arañara los ojos (les recuerdo que es la primera
vez que comparto mi vida con un animal). De ahí que no me
gustara dejar la puerta de la habitación abierta. Al principio,
lloraba y la aporreaba. Luego se acostumbró a dormir en su
cojín. Ahora la habitación está abierta. Ella va y viene, pero,
por lo general, salvo algún paseo por encima de mí, me deja
descansar. Eso sí, a las 7:30, todos los días, se acerca ronro-
neando a darme los buenos días con un par de lengüetazos.

No escaparse de casa cuando abro la puerta. (X). De-
pende mucho del día. Hay veces que sale corriendo, por lo
general, hacia el piso de arriba. El otro día se dirigió hacia
abajo y se encontró de frente con un perro enorme. Sus patas hicieron como en los dibujos animados, cuando empiezan a correr a tal velocidad que no avanzan. Desde ese día
se atreve menos.

**No meterse en medio de su dueño y cualquier cosa que
llame su atención. (X).** Aquí hemos llegado a una especie de
entente cordial. Si me pongo a escribir, de golpe también le
entran ganas de hacerlo. (Le encanta la tecla de la Y. A veces
encuentro líneas enteras de «yyyyyyyyyyyyyyyyyyyyyyy»).
Si quiero leer, al principio ella quiere dormir justo entre el
libro y su dueño. Pero al poco rato se da cuenta de que la
quiero mucho más a ella que al ordenador o al libro, se re-
laja y se va.

No destrozar las plantas. (X2). Va por épocas. Es como
si las plantas fueran invisibles durante largos periodos de
tiempo y súbitamente, un día, aparecen de nuevo en su
radar de maldades hogareñas. Me la imagino pensando:

«¡Anda, las plantas! Hace mucho que no me doy un garbeo por ahí». También puede ser que como siempre termina tirando la maceta más grande, el tiempo que tarda en volver a ella es el que necesita para que se le olvide el susto. **No introducir objetos en los zapatos. (2).** Los gatos, desde que son gatos, quieren mostrar su utilidad a los dueños. Por eso los obsequian de vez en cuando con sus presas, para que vean lo listos y hábiles que son. Si te encuentras en el campo, te llevarán un ratón. Si vives en un piso en la ciudad, te dejarán juguetes en el interior de los zapatos. Y tendrás que felicitarlos, claro.

No lamer la mantequilla. (2). A Mía le encanta la mantequilla. Da igual lo que dejes sobre la mesa; si hay mantequilla, se dirigirá hacia allí e intentará abrir el envase. En cuanto me descuido un momento, me la encuentro pegándose un festín.

No meter la zarpa en el chorro del grifo. (2). Otra de sus obsesiones. Cada vez que se abre un grifo, allá va ella a meter la pata. Lo curioso es que, a día de hoy, después de repetir la operación al menos tres veces al día, parece como si se siguiera sorprendiendo. Me mira con expresión de «¿Has visto? ¡Es agua!». A veces también le da por meter las patas delanteras en el bebedero y chapotear.

No beber de los vasos de la gente. (2). Me refiero a agua, claro. Es un comportamiento que repite desde bien pequeña. Introduce la cabeza en los vasos de tal manera que las orejas se le giran hacia atrás y parece que ha entrado en un túnel de viento. Cuanto más bajo esté el nivel del agua, por lo visto más divertido resulta. Una vez a ras de agua, es capaz de batir el récord de movimientos de lengua por segundo.

No rascar los sofás. (2). Supongo que no hace falta que comente esto, ¿no? Da igual lo que haga, diga o intente: destrozar el sofá constituye uno de sus objetivos vitales. Y aunque en muchos foros se habla de casos de gatos que no presentan este comportamiento, permítanme que no me lo crea; o que no me lo quiera creer, porque no me veo capaz de ganar este partido.

Apuntes musicales (I)

«El hombre tiene dos medios para refugiarse de las miserias de la vida: la música y los gatos».

ALBERT SCHWEITZER

Uno de los cantantes que más ha citado a los gatos en sus canciones es Joaquín Sabina. Pero no voy a hablar ni de *Ojos de gata* ni de *Y sin embargo*, que son las más míticas. Para mí, hay dos temas de Sabina que definen el mundo de los gatos.

Uno es *Lágrimas de mármol*. Es una canción agridulce, que habla de cómo el cantante ve la vida pasar desde la atalaya de una cercana vejez y después de un par de sustos de salud. Pero también cuenta con un punto irónico y con mucha fuerza. En concreto, la letra remonta el vuelo cuando, a medio camino entre el canto y el grito, exclama: «Acabaré como una puta vieja / hablando con mis gatos».

Y claro, si lo piensas un poco, te entra el miedo a terminar así. Durante un tiempo, en mi grupo de amigos de Ribadesella fue popular una broma que decía: «Moriré solo y rodeado de gatos, con cartones de leche desparramados por el suelo». A medida que hemos ido creciendo (que no madurando) los que seguimos solteros ya no nos reímos tanto con la broma, principalmente porque muchos hemos incorporado un gato a nuestras vidas y porque no vemos tan descabellada esa escena final (que, por otro lado, tampoco estaría tan mal).

Al ponerlo Sabina negro sobre blanco aparece cierta sensación reconfortante: oye, que también le ocurre a él, que es un genio y tiene varios gatos.

En realidad, tampoco pasa nada por conversar con nuestros gatos, ¿a que no?

Yo hablo mucho con Mía. Por ejemplo, cuando voy a darle pavo retransmito toda la operación con detalle: «Y ahora le voy a dar un trozo de pavo a mi gatita porque ha sido muy buena. ¿Te gusta? No me muerdas, ¿eh?». E incluso la reprendo cuando, presa del ansia, clava sus uñas en mis piernas, intentando llegar antes a mi mano. Si, por ir corriendo a toda velocidad, se choca contra algo, la riño como si fuera su madre: «Ay, hija, qué burra eres. ¿No puedes ir con más calma?». Seguramente sí, puede, pero no quiere.

La otra canción de Sabina que acierta bastante al describir lo que supone tener un gato es *Rebajas de enero*. En ella, Sabina cuenta la historia de una chica a la que conoce por medio de un anuncio en el periódico. La chica es una persona normal, alejada de excesos, y resulta que, contra todo pronóstico, encajan y se llevan bien. Tienen sus problemas, como todo el mundo, pero tiran para adelante y alcanzan algo parecido a la felicidad: «Y contra pronóstico han ido pasando los años, / tenemos estufa, dos gatos y tele en color». En esa frase, Sabina concentra una de las grandes virtudes de los pequeños felinos. Y es que, una vez entran en una casa, la convierten en un hogar. ¿Acaso hay algo más hogareño que dormir la siesta, con la Vuelta a España de fondo y tu gata hecha un ovillo, a los pies del sofá? La canción cuenta, además, con un estribillo que parece definir la relación de los dueños con sus gatos: «Apenas llegó, / se instaló para siempre en mi vida. / No hay nada mejor / que encontrar un amor a medida». Y está en lo cierto. Ahora que lo pienso, no concibo mi vida sin Mía. Es más, no me puedo imaginar cómo pude estar tanto tiempo sin ella.

Llegar a casa

«Me gustan los gatos porque me gusta mi casa; poco a poco, se convierten en el alma visible de mi hogar».

JEAN COCTEAU

Desde que adopté a Mía, regresar a casa se ha convertido en una experiencia diferente. Acostumbrado a vivir durante años en soledad, agradezco que alguien salga a recibirme cada vez que abro la puerta. La sensación de que te estén esperando es muy reconfortante. ¿Nunca se han emocionado cuando ven a personas reencontrándose con familiares, amigos o novios en los aeropuertos? A mí me pasa desde que vi *Love Actually* un día de Nochebuena, solo, en casa de mi madre en Oviedo. Cuando me quise dar cuenta, lloraba a moco tendido. Como me lanzó una exnovia la noche en que me abandonó: «Siempre fuiste un blando».

Sin embargo, ahora llego a casa y me hace ilusión encontrarme con Mía. Si acudo a una hora a la que ella no me espera –porque paso a mediodía a por algo que me olvidé o me acerco a comer después de una reunión en el centro–, aparece siempre desde mi habitación. Lo hace con parsimo-

145

nia, con los ojos medio dormidos y con cara de «¿Qué estás haciendo aquí? No te esperaba tan pronto».

Si es de noche, nada más entrar en el portal me imagino a Mía percibiendo que estoy al caer. Da igual que suba andando o en ascensor, por las noches siempre está pegada a la puerta cuando la abro. Su primer impulso es salir de casa. Cuando lo logra, sube hacia el piso de arriba. Durante una época en la que practiqué el modo zen gatuno, la dejaba escaparse un rato y que investigara unos minutos mientras yo dejaba la compra en la cocina o el abrigo en el armario. Comenzó a emocionarse mucho con las excursiones y tuve que cancelarlas. Por cierto que jamás he metido un abrigo en el armario al llegar a casa, pero quedaba muy bien decirlo.

Después de cerrar la puerta, repetimos siempre el mismo ritual. Ella se adelanta unos metros, se sienta sobre sus patas traseras dándome la espalda y, con un movimiento sutil a la par que torpe, se deja caer de lado. Es curiosísimo. Como si estuviera rodando una película y le hubieran pegado un tiro. Una vez en el suelo, estira las patas y deja a la vista buena parte de su barriga. Si fuera actriz, diría: «¡Oh, no, me han dado!».

Justo en ese preciso momento a mí me cambia la cara. Da igual el día que haya tenido o que venga cargado con bolsas del supermercado y una mochila repleta de libros. Siempre repetimos el ritual. Mientras me acerco a ella, veo como cierra los ojos esperando que la acaricie. Ronronea como cuando era pequeña. Empiezo por debajo de la barbilla y paso la mano por la barriga. Si estoy demasiado tiempo en la misma zona, lanza un mordisco al aire y empieza a apartarme con las patas. Se da varias veces la vuelta, para que la mime por ambos costados y, cuando no quiere más, se incorpora toda desgreñada y se aleja, recuperando su dignidad felina a cada paso. Siempre es ella la que decide cuándo se acaba el reencuentro.

Después, me sigue allá donde voy. Si he llegado cargado con bolsas, se sube a la mesa de la cocina y las inspecciona todas, no vaya a ser que haya despilfarrado el dinero en el supermercado. Si traigo libros y los dejo en el suelo, los huele y los toca, por si acaso se me ha colado *El poder del perro* o algún título similar.

Y luego se comporta de forma muy graciosa. Se va hacia el rascador y comienza a usarlo mientras me mira, como si quisiera mostrarme que durante el día no ha hecho otra cosa que afilar sus garras ahí. Es una pena que el rastro que sus uñas dejan por cada rincón «rascable» de la casa la delaten, porque mientras le da al rascador, pone una cara de buena que hace que esté a punto de creerla. Para rematar la bienvenida, me hace el mejor marcaje de la historia de los marcajes. En los cerca de veinte años que jugué al fútbol, jamás presencié nada igual (y eso que no pasé de regionales, y ahí sí que se marca bien). Cuando abro la nevera, Mía se pega a mi pierna. Ella disimula mirando para otro lado, pero se coloca totalmente rígida contra mis tibias, porque sabe que en ese extraño armario del que sale frío se esconde el pavo. Cuando se lo ofrezco, ronronea de tal forma que me da pena no poder darle más.

Mientras preparo la cena, suelo jugar un rato con ella. Bien con la pluma o bien con las pelotas de espuma. Como ya nos vamos conociendo, sé cuándo está cansada y es entonces cuando le pongo su comida húmeda y yo ceno.

Después, me tumbo un rato en el sofá a leer o ver la televisión, y ella hace lo propio (sin leer ni ver la televisión, lógicamente) en su cojín, que queda justo a mis pies, hecha un ovillo. A veces, cuando lleva un rato durmiendo, se despierta de repente, me mira y suelta un sonido que no llega a maullido. Comienza a caminar hacia mí, sobre mi cuerpo, y empieza a amasarme la barriga o el pecho. Cuando tiene las uñas un poco largas puede resultar un poco incómodo, pero lo hace con tanto cariño que me da cosa decirle que pare. Después, se tumba totalmente y estira alguna de las patas, de tal manera que quedan tocando mi cuello. Yo la acaricio, y si me detengo, ella abre los ojos, mira hacia mi mano y repite el sonido, como diciendo que quiere más.

La verdad es que llegar a casa es mucho mejor desde que ella vive aquí.

Mía y su abuela (III)

«Los gatos, como es sabido, son bastante impermeables a las amenazas».

CONNIE WILLIS

El segundo encuentro de Mía con su abuela tuvo lugar durante Semana Santa. Antes de partir, la llevé a la veterinaria para que le cortara las uñas. Hacía un par de semanas que, en una visita rutinaria y tras un inusual arranque de valentía por mi parte, había decidido que yo mismo le cortaría las uñas en casa. Aunque es verdad que a veces Mía es bastante rebelde con este asunto, pensaba que lo conseguiría. Cómo sería el reto que en la clínica decidieron regalarme las tijeras; tijeras que, por cierto, siguen sin estrenar. No es que no fuera capaz de cortarle las uñas de una pata entera. Es que no conseguí sujetarla más de treinta segundos. En cuanto veía aparecer las tijeras, huía de mí, algo que, por otro lado, hace bastante a menudo, haya o no tijeras de por medio. El caso es que no quería que rascara los sofás de casa de mi madre con aquellas uñas que parecían las de las brujas de Zugarramurdi. Si lo iba a hacer, que por lo menos dejara la menor marca posible.

Decidimos (nótese que hablo como si la veterinaria y yo fuéramos un equipo y consensuáramos todas las decisiones) no cambiarle el pienso todavía (seguía comiendo el de cachorro, a pesar de llevar ya unos meses esterilizada) ya que con la ansiedad por el viaje y el cambio de casa podíamos armar un buen lío, y no era plan. Dicho esto, he de confesar que en las últimas semanas había notado que Mía estaba echando un poco de barriga. Cuando se ponía a correr, los pechos se balanceaban de izquierda a derecha y asomaban por debajo del abdomen. La escena era bastante graciosa, pero el verano estaba a la vuelta de la esquina y queríamos llegar finos.

Mía se portó genial en el viaje (unas cinco horas) y solo maulló cuando alguien en el coche pronunció su nombre o el posesivo femenino. Aunque estuviera dormida, oía decir a alguien «aquella casa era mía» y maullaba.

Total, que llegamos a casa de mi madre. Y algo había cambiado desde nuestra última visita, en Navidad: mi madre se había convertido en una experta en gatos. Nada más verla salir del transportín exclamó: «Esta gata está gorda». Y allá se fue Mía, balanceando los pechos, a comprobar que todo estaba en orden. Yo había quedado con unos amigos para cenar y, viendo que mi señora madre cursaba ya cuarto de Veterinaria, me fui con toda la tranquilidad del mundo. Nada que ver con la primera vez. Le dejé a Mía su cojín en el sofá, le coloqué el comedero, el bebedero y el arenero en sus respectivos lugares, enchufé el Feliway y me dispuse a disfrutar de mis primeras vacaciones en las que mi madre y mi gata se entendían.

Porque algo había cambiado en todo este tiempo. Para bien, se entiende. Mi madre fue capaz de no «echar el *pito* de las siete de la tarde» (*sic dicto*) durante toda la semana y a veces la encontraba manteniendo conversaciones con ella. Eso alimentaba mi esperanza de que en algún momento se animara a adoptar un gato. De hecho, tuvo un momento de *delirium tremens* en el que declaró: «Si no fuera porque la chica que viene a trabajar es alérgica y por el tema de las ventanas, tendría una». Pero fue un instante, nada más, ya que luego lo negó ante todo el mundo. Sin embargo, yo la oí.

Una tarde volví a casa y me encontré a mi madre tejiendo en su sillón. Mía dormitaba en el sofá de al lado sobre una manta doblada. Era una imagen muy hogareña.

Me permití preguntarle a Vero su opinión sobre regalarle un gato a mi madre. Me lo quitó de la cabeza enseguida, ya que, por lo visto, en el caso de personas que viven solas es mejor un perro, que te invita/obliga a salir a la calle. Los gatos nos vuelven aún más caseros. Ahí ya lo teníamos complicado porque mi madre tiene una frase célebre: «Si me veis con perro o con novio, me lleváis al manicomio».

Dos días antes de volver a Madrid, sucedió lo impensable. Mientras mi madre dormía la siesta, Mía se adentró en su habitación y se subió a la cama. Mi madre sintió algo en su cara y pensó que era una mosca. La apartó con la mano y se dio cuenta de que era Mía, que se había acercado a darle uno de esos besos suyos que consisten, básicamente, en lamerte la cara a velocidad supersónica. Reanudó la maniobra y lo consiguió.

Ya en Madrid, recibí una llamada rutinaria de mi madre. Antes de despedirnos, me dijo: «¿Te puedes creer que echo de menos a Mía?, ¿que voy por la casa y creo que va a aparecer por cualquier esquina?».

Mía demostraba, una vez más, la superioridad animal. Después de ganarme la batalla a mí, que no deseaba un gato, acababa de robarle el corazón a mi madre. Qué tía.

Los gatos y la literatura

 «En días de primavera, los gatos leen libros, o bailan».
Natsume Sōseki. *Soy un gato*

Tal vez al lector le pase lo mismo. Que cuando un tema le toca de cerca, encuentra referencias en cualquier lado. Pasa con las parejas que esperan un hijo, que solo ven mujeres embarazadas o con los que acaban de terminar una relación, que solo ven parejas felices. También pasa cuando adoptas un gato, que conoces a gente como tú permanentemente y en la televisión reparas de pronto en la cantidad de anuncios de comida felina que emiten.

Este hecho puede producirse, además, en otro tipo de situaciones, más extrañas e inexplicables. A mí, por ejemplo, me pasa cada vez que entro en una librería. Y todo comenzó durante un fin de semana en Oviedo. Me acerqué a la librería Cervantes, que es la típica librería de cuatro plantas que si estuviera en Buenos Aires o en Nueva York sería un lugar de culto, pero como lleva ahí toda la vida, está en una capital de provincias y somos todos precisamente muy provincianos, no la valoramos en su justa medida. El caso es que me acerqué a la mesa de novedades y ahí estaban, preparados para captar la atención de mi recién estrenado sentido gatuno: una serie de libros sobre gatos, a cada cual más apetecible. Elegantemente editados, con títulos sugerentes... Que me vi obligado a llevármelos todos, vaya. Desde aquel día, he desarrollado una especie de superpoder que consiste en localizar al primer vistazo libros de temática gatuna. (¿Se puede llamar a esto superpoder?). Antes solo me ocurría con el nombre de mi ciudad y con las camisetas de mi equipo: soy capaz de encontrar la palabra «Oviedo» en cualquier texto en un segundo; y puedo distinguir una camiseta del Oviedo a cien metros de distancia, y jamás la confundiría con una del Chelsea, por ejemplo. Gracias, Mía, por ampliarme la gama de cosas que solo yo sé hacer.

Lo crean o no, existe un montón de literatura sobre gatos. Los gastos de mi tarjeta dan fe de ello. Me imagino a los señores que comprueban los pagos pensando «Mira el friki este, ha vuelto a comprar otro libro de gatos». Sí, soy de esos que creen firmemente que los dueños de las televisiones tienen en el salón de su casa un contador de espectadores y que en los bancos alguien se dedica a trazar perfiles a partir de los gastos. Me parece que a eso lo llaman *big data*.

Pocos animales dan tanto juego a la hora de escribir sobre ellos. Los gatos son elegantes, misteriosos, independientes, interesados, ariscos y adorables al mismo tiempo, simpáticos, ocurrentes y, sobre todo, les gusta ser los protagonistas. Y además quedan bien. Si tienes un gato, serás mejor escritor que si no lo tienes. Eso es así. Yo, por ejemplo, nunca estuve tan cerca de ser un escritor maldito como cuando me operaron de la rodilla. Tenía una gata y, al caminar con una muleta, aparentaba estar siempre de mal humor (o al menos eso me decía la gente). Qué pena que me fallara lo principal: ser escritor.

La imagen de los gatos se ha visto afectada por los autores con los que han compartido su vida, curiosamente, algunos de los más raritos e intensos. ¿Casualidad? No lo creo. ¿Bukowski? Gato. ¿Burroughs? Gato. ¿Capote? Gato. ¿Cortázar? Gato. ¿Hemingway? Gato. Es decir, algunos de los exponentes de escritores malditos o de literatos que hay que leer varias veces para entender lo que quieren decir tenían gato. Eso explica muchas cosas.

La literatura se ha acercado al gato desde muchas perspectivas. La más complicada y audaz, sin duda, es la de poner al gato como narrador. Quizá la cima de esta corriente sea *Soy un gato*, de Natsume Sōseki, un ejemplo de narrativa, tempo y humor japonés, con todo lo que ello implica. La idea de comentar el mundo desde la perspectiva felina la utilizó también E. T. A. Hoffmann en *Opiniones del gato Murr* y Gérard Vincent en *Akenatón. La historia de la humanidad contada por un gato*. Todos coinciden en poner de vuelta y media al ser humano. Y los dueños de gatos se imaginarán perfectamente al suyo con las patas apoyadas delante de la cabeza mientras critica con displicencia lo que hacen. Absolutamente todo, por supuesto.

Hay también quien se ha centrado en los sentimientos del gato, sin entrar a valorar (al menos no directamente) la estupidez humana. Es lo que hizo Balzac en sus *Penas de amor de una gata inglesa* y P.-J. Stahl en *Penas de amor de una gata francesa.*

También han tenido poetas que los han loado, como Pablo Neruda o Baudelaire. Borges dedicó versos al suyo y T. S. Eliot, un poemario entero, que posteriormente serviría como inspiración para el musical *Cats.*

Algunos escritores han contado el lado bueno de los gatos (que también lo hay, hombre). Antonio Burgos, por ejemplo, narra en *Gatos sin fronteras* la llegada a su casa de Remo y Rómulo. El libro tuvo tanto éxito que tuvo una segunda entrega, *Alegatos de los gatos,* en el que participaron los lectores con sus experiencias.

Tal vez la historia más mediática (dio incluso para una película) sea la de James Bowen y su libro *Un gato callejero llamado Bob.* Bob decidió un día que Bowen, un músico callejero con una vida complicada, sería su dueño. Y que lo salvaría y lo convertiría en millonario.

Doris Lessing recogió en *Gatos ilustres* la vida de los múltiples gatos que ha conocido –y tenido– durante su vida. Y Abigail Tucker recorrió en *Un león en el sofá* la historia de los mininos y su capacidad para dominar el mundo. Porque lo han dominado, ¿no?

Incluso la revista *The New Yorker* ha dedicado varios ejemplares recopilatorios a los mejores artículos y viñetas protagonizados por gatos.

La escuela francesa también ha entrado en materia gatuna. Uno de los mejores libros que he leído sobre el tema es *Elogio del gato,* de Stéphanie Hochet, una maravilla altamente recomendable.

Echando un vistazo rápido a la librería de casa, reparo en

que tengo, entre novelas, ensayos y cómics, una treintena de libros. Todos ellos conforman la bibliografía utilizada para este que sostiene entre sus manos. Y a todos esos autores les agradezco lo mucho que han ayudado a aportar luz sobre ese peculiar ser que es el gato.

Mía y su abuela (y IV)

«Los gatos se niegan azarosamente a seguir órdenes
para demostrar que pueden hacerlo».

ILONA ANDREWS

A día de hoy, no hay conversación con mi madre en la que
no me pregunte por Mía. Tras hablar del trabajo, de algún
cotilleo ovetense, de la situación política, de la palabra que
no le salió en el crucigrama de Mambrino en *El País* de
ayer y de lo importante de que me alimente adecuadamen-
te, justo antes de empezar a despedirnos, siempre surge la
cuestión: «¿Qué tal Mari Gati?». Pero ya no es una pregunta
como la de hace un año, en la que el tono tendía más bien a
«¿qué tal el ser vivo ese que has decidido meter en tu casa
en contra de mi voluntad?», sino que ahora alberga interés
real y sincero. En su voz noto que le preocupa el bienestar
de Mía.

En invierno, me pregunta por dónde duerme, si no tendrá frío y me sugiere que le prepare una cama con man-
tas. En verano, se preocupa por que no pase mucho calor
y le interesa si el aire acondicionado le sienta bien o mal.
Se plantea la cuestión que todos los gatunos nos hacemos:

«¿Qué hará tantas horas en casa hasta que llegas?». Cuando la dejo sola un fin de semana, quiere saber quién va a pasar a verla y siempre, siempre, me plantea una pregunta abierta: «¿Qué hace?», para que le cuente la última trastada que ha liado o la ocurrencia más reciente que ha tenido.

Noto que se ríe cuando le explico que, cada vez que regreso tras unos días fuera, Mía me castiga con un par de noches sin tumbarse sobre mí. «¡Qué tía!», exclama.

Aunque hayan pasado meses desde nuestra última visita a Oviedo, asegura que sigue encontrando pelos blancos por la casa y que, en ocasiones, piensa que va a aparecer de repente, tras una puerta.

Nunca lo reconocerá delante de nadie que no sea yo –las castellanas son muy duras–, pero la echa de menos.

Ha entendido que Mía no es la novia de su hijo. Es su nieta.

Incompatibilidad de caracteres

«Se lo expliqué en voz alta y clara. ¿Qué parte de "miau" no entiendes?».

Lee Wardlaw

Cuando un gato entra en tu hogar, te tienes que amoldar a él. No nos engañemos: la casa pasa a ser suya. Y hasta cierto punto tiene sentido que así sea, ya que nadie va a estar más horas en ella. Tantas horas solos en el domicilio los hacen conocedores de rincones cuya existencia ni tan siquiera sospechabas. Juegan con ventaja.

La forma de ser de un humano y un gato no presenta, *a priori*, muchos puntos en común, pero como no te queda otra, te adaptas y aceptas rápido tu derrota. Es la relación de pareja ideal (ideal para el gato, se entiende), ya que una parte acepta todos los defectos y manías de la otra. Y a la otra, tus rarezas le dan absolutamente igual. Pasa de ellas.

¿Que te gustaría que no rascara el sofá? Pues claro que sí. ¿Que sería perfecto si no dejara pelos por todos lados? Por supuesto. Pero insisto: si acabas de adoptar un gato o estás a punto de hacerlo, no pierdas el tiempo amargándote con estas cuestiones. Otros ya lo hemos hecho (inútilmente) por ti.

Existe, sin embargo, un aspecto más importante que a veces pasa desapercibido, y es cómo moldea un gato la relación con tu entorno, algo que no adviertes hasta que un amigo alérgico a los gatos viene a visitarte, hasta que ligas con una chica con la que, por alguna inexplicable razón (¿intuición masculina? ¿existe eso?), no has hablado de tu gata antes de que venga a casa y cuando llegáis, parece estar ante un tigre de dientes de sable de los de la Era Glacial, o hasta que vas a casa de tu madre por Navidad.

Cuando tienes gato, ya nada es lo mismo. Tu centro de gravedad gira y pivota en torno a su comodidad y bienestar. Los fines de semana fuera de casa dependen de que alguien pueda pasar a visitarlo, y esa persona ha de ser de confianza, claro. Si no veo opciones de que los 2-3 amigos de los que más me fío cuiden de Mía, no me voy de fin de semana. He perfeccionado tanto mi estrategia que a veces consigo incluso que se queden a dormir.

Antes cedía mi casa con mucha más ligereza. Ahora tiene que tratarse de gente que sé que va a respetar a rajatabla las normas del hogar, que básicamente son no abrir las ventanas, rellenar el comedero y el bebedero de Mía, tener cuidado con la puerta de entrada (no se vaya a escapar) y jugar unos minutos cada día con ella. Por su parte, Mía, según me han contado, se dedica a seguir a mis amigos allá donde van. Supongo que no se fía mucho de ellos. Y hace bien.

También hay quien se excede y termina mimando más a la gata que su propio dueño. Mi amiga Ana no encontraba la comida y dio en el armario con unos premios que a Mía le encantan. Se los puso de almuerzo y la gata, que no es tonta, se dio un festín y dejó de seguirla durante unos minutos. «Ya decía yo que el envoltorio era muy mono para ser comida de gatos», declaró Ana.

Lo dicho, que al final terminas adaptándote tú y amoldando tu entorno al gato. Aunque en ocasiones resulta más complicado. Cuando tienes un gato, en cierto modo te asemejas a las ofertas de los supermercados: un lote indivisible. Y ya puedes rezar para que las incompatibilidades sean lo más llevaderas posibles.

Tengo una compañera de trabajo que no puede ver un gato ni en fotos. Un día que organicé una cena en casa, a los pocos días de aparecer Mía, tuve que dejarla un par de horas en casa de una amiga (a mi compañera no, a la gata), para que pudiéramos tener la cena en paz.

Un amigo con gato empezó a salir con una chica. Pasado el tiempo, decidieron ir a vivir juntos. Resultó que ella era alérgica a los gatos. Vaya drama. Ha sido de las pocas veces que he visto a un gato perder una partida.

Una pareja de amigos se mudó de casa, y ya se sabe que pocas cosas gustan menos a un gato que un cambio de aires. La pobre gata comenzó a rascar el papel de la pared. Cuando llamaron al dueño del inmueble para que les dijera dónde había comprado el papel y así poder reponerlo, este les preguntó que por qué no pensaban en «deshacerse de la gata». Un amigo que vive en París tiene un gato para el que asegura que su mujer compra comida *delicatessen,* mientras que al resto de la familia les caen productos de marca blanca. Aunque lo mejor es que cuando su cuñado, que vive en Los Ángeles y es alérgico a los gatos, los visita, duerme en una tienda de campaña en el jardín.

Conozco a una chica a la que su madre le prohibió entrar el gato en casa. Y no entró. Cada vez que va de vacaciones a Asturias, ella y el gato se quedan en un inmueble de su propiedad en las afueras. Acude a comer y a cenar a casa de su madre, y luego regresa a dormir con el gato.

Hubo un tiempo en el que todas mis novias me planteaban en algún momento de nuestra relación la siguiente pregunta: «Si estuviera dando a luz a la vez que el Oviedo estuviera jugando la final de la Copa de Europa, ¿dónde estarías?». Ahora mis amigos intuyen que, de alguna forma, he madurado, y la pregunta es: «Si te echas una novia y es alérgica a los gatos, ¿con quién te quedarás, con ella o con Mía?». Igual que en el caso del Oviedo, confío en las pocas probabilidades de que ambas opciones coincidan. E, igual que en el caso del Oviedo, rezo en secreto para que nunca me suceda.

«¡Esta gatita quiere ser mala y no la dejan!»

«Mi gato nunca se ríe o se lamenta, siempre está razonando».

MIGUEL DE UNAMUNO

Según varios manuales, los gatos se dividen en amigables, tímidos o agresivos. El ser humano, mucho más práctico, ha reducido la clasificación a buenos y malos. Como en las pelis. De hecho, es la primera pregunta que formulas cuando descubres que tu interlocutor tiene gato: «¿Es bueno? Buenísimo»; «¿Es malo? Malísimo». No suele haber término medio.

A mí, antes de que Mía llegara a casa, en la etapa en la que aún no lo sabía pero ya había decidido tener una gata, me obsesionaba no que fuera buena, sino que no fuera mala. Daba por hecho que un poco de maldad vendría de serie, pero quería que estuviera dentro de los límites de la tolerabilidad. Si el lector comparte su existencia con un gato, me entenderá perfectamente.

Por ello, me pasé varias semanas preguntándole a Vero sobre las posibilidades de acabar con un pequeño demonio en casa. Había leído teorías de todo tipo, como, por ejemplo, que los gatos de tres colores se portan peor, porque claro, vienen con tal mezcla de razas que aquello es un festival de la genética. Pero no, no existía ningún truco para escoger un gato bueno, porque de pequeño puede parecer un santo y luego convertirse en un diablo de Tasmania, y viceversa. Que es una lotería, vaya.

Y tampoco es que haya mucha opción de educarlos, la verdad. Lo más importante, que es que utilicen el arenero, ya lo hacen ellos porque sí. Aunque yo me pasé varias semanas pensando que Mía era sorda porque no hacía caso de mis indicaciones. Luego, la llamaba para servirle pavo y corroboraba que me escuchaba alto y claro. Compré un difusor de agua para evitar que se subiera a la encimera y que destrozara las plantas y, si no me equivoco mucho, tiene aún dentro el agua del segundo día en que lo usé. A Mía le caía agua del cielo y ella huía, sí, pero al minuto estaba de vuelta. Suponía que ya había dejado de llover.

Me enteré de que Mía iba a ser mala en nuestra segunda visita al veterinario. Para los que no estén muy familiarizados con el tema, es importante constatar que los gatos se comunican con mensajes en forma de feromonas. En concreto, en las clínicas para animales, se dejan «feromonas del miedo». Es decir, que aquella mesa metálica guardaba el recuerdo de todas las perrerías (nunca mejor dicho) que los de su especie habían sufrido previamente. En lugar de correos electrónicos o WhatsApp, feromonas del miedo. Por eso siempre actúan de forma rara en las visitas al médico. A mi segunda vez (en el veterinario, se entiende) me encaminaba, ufano, aquella tarde soleada de julio. Llevaba a Mía en una mochila por una absurda relación de ideas que me impulsó a posponer la compra del transportín hasta que apareciera uno que realmente me gustara (finalmente cogí el primero que me ofrecieron). Ella iba con la cabeza fuera. No se asustaba ni ante los pitidos de los coches ni ante el ruido del autobús al acercarse. Y la gente, claro, nos contemplaba y ponía cara de «¡ay, qué cosa más rica!». (Insisto en que detalles como este hicieron que nos empezáramos a llevar bien).

Lo dicho, que llegué encantado de la vida al veterinario. Y de repente, a los cinco minutos de consulta, Sofía pronunció aquellas palabras que retumbarían en mi cabeza días después: «¡Ay, esta gatita que quiere ser mala y no la dejan...!». ¿Quién quiere ser mala? ¿Mía? Pero ¡si es una santa! En mi cabeza aparecían ya imágenes de Mía colgando de las lámparas, tirando la vajilla, arañando a los invitados, levantándose a comer en pijama o yéndose de la mesa sin dar las gracias. Un drama.

De vuelta a casa, las palabras de la veterinaria resonaban en mi cabeza cada vez que Mía se pasaba por la zarpa mis advertencias de no subirse a la encimera, no rascar el sofá o no volcar las macetas. Y, sobre todo, retronaban el día en que comenzó a maullar para intentar entrar en mi habitación. Ante la imposibilidad de hacerlo, fue tirando uno a uno todos los objetos situados sobre una repisa (excepto una hucha llena de céntimos que, al parecer, pesaba demasiado para ella).

Me da rabia cuando rasca el sofá, también cuando la casa aparece llena de arena o cuando los pelos que ha dejado encima de la vitrocerámica delatan que se ha dado un paseo por el lado salvaje de la vida..., pero la verdad es que *Mía* me gusta más así. Creo que, en realidad, la veterinaria quiso decir que iba a ser un poco bastante trasto, pero que no llegaría a ser mala del todo. Y la prefiero así porque, aunque de primeras me enfado, por dentro me río e incluso me hace ilusión. La clave en las parejas se encuentra en hacerse reír, ¿no? El único problema es que ella se ha percatado. Ventajas de saber utilizar las feromonas.

Amigos gatunos

JARO. JARITO. JARITOMALO,
por PANCHO VARONA

Se llama Jaro, lo llamamos Jarito, y en las redes sociales se
ha construido un personaje protagonista bajo el seudónimo
de @Jaritomalo. Por algo será.

Jarito llegó a traición a casa. Yo andaba por Argentina
de gira con Joaquín Sabina y de repente recibí un mensaje de mi hija que en aquella época debía de rondar la tierna
edad de 16 años. El mensaje en cuestión era algo así como
«Papi, papi, papi, ay, mira, papi, no sabes lo que me ha pasado, papi, hay un gatito monísimo, bebé, papi, no sé cómo con-
tarte, papi, lo quieren matar, ay, papi, papi, por favor, papi,
no podemos dejar que lo maten, papi, qué mala es la gente
y qué bueno eres tú, papi, tiene que quedarse en casa, papi,
papi, ay, papi, por favor, cómo te quiero, papi, el gatito tiene
que quedarse en casa porque lo van a matar, papi, si no nos
lo quedamos, papi, y dicen que lo van a tirar al río, papi...».

«¿A qué río?», pregunté yo.

Durante aquellos días en que yo seguía de gira, mi hija

Irene me mandaba fotos de Jarito para intentar enterne-
cerme, pero ya en esos primeros días de su vida Jaritomalo
parecía el *gremlin* punki. Se notaba que era un auténtico
cabrón; adorable, pero cabrón.

Dieron igual todas las pegas que puse: «Tenemos ya tres o
cuatro gatos más, tenemos un perrito, es difícil que se lleven
todos bien, etc.». Así que cuando llegué a casa después de
terminar la gira, Jaro, Jarito, Jaritomalo, ya había tomado po-
sesión del territorio y aterrorizaba a todos los animales que
lo habitaban. Pocos días después, yo mismo me incluí en
esa lista de animales de la casa dominados por Jaritomalo.

Jarito era muy pequeño cuando nos conocimos y sé que
no le caí bien. Era casi tan pequeño como una lata de cer-
veza. Alguna foto da cuenta de ello. Su tamaño era inversa-
mente proporcional a su maldad.

Cuando llegué a mi casa y me lo presentaron, noté un
gesto en su cara que me decía bien a las claras «yo soy el
machito alfa en esta casa poblada por mayoría de hembras
y tú sobras aquí, así que ya puedes decirle a tu jefe Joaquín
Sabina que te busque muchas giras para que no estés dando
el coñazo en mi casa». Porque hemos tenido en casa varios
perros que siempre han vivido en mi casa, pero cuando llega un gato a tu casa, llega a su casa.

Respecto al nombre, Jaro, fue puesto muy adecuadamen-
te por alguna mente brillante. No sé si recordáis al Jaro, ese
personaje de los años 70 y 80, pandillero y delincuente habitual que hacía las delicias de los chicos de extrarradio y,
especialmente, de las chicas de extrarradio.

El otro protagonista de este relato, Joaquín Sabina, ya le
cantó al Jaro/persona, pero releyendo esa letra de canción

de mi jefe y amigo Joaquín parece totalmente que le canta a nuestro gatito tan malvado y querido:

«La pasma va pisándote el talón, hay bronca por donde quiera que vas, las chavalas (aquí podríamos decir "gatitas" en lugar de "chavalas") del barrio sueñan con robarte el corazón si el sábado las llevas a bailar...».

¡Pero nuestro héroe no podría llevar jamás a las gatitas a bailar ni el sábado ni el domingo ni nunca, porque le tiene terror a la calle!

Así que nuestro héroe tiene un punto débil, un talón de Aquiles. La calle. Y el timbre de la calle cuando suena. Y, sobre todo, la flauta del afilador cuando se va acercando por el parque que hay cerca de «su» casa.

El sonido del afilador acercándose hace que Jarito salga huyendo escaleras arriba como alma que lleva el diablo, y así el héroe se desmorona y saca a relucir su cara más tiernecita: Jaritomalo, el terror de la casa, también pasa miedo a veces.

Pobrecito, mi gatito tan amado y que tantísimo me hace reír a diario. No soporto pensar que pasa miedo. En el fondo, nos queremos.

Los Beatles contra los Rolling Stones

«Pero ¿cómo debemos dirigirnos a un gato? Lo principal es no caer en el gran yerro. Y recordar que un gato no es un perro».

T. S. Eliot. *El libro de los gatos sensatos de la vieja zarigüeya*

Un informe de 2016 realizado por una agencia especializada en estudios de mercado aseguraba que el 56 % de la población mundial tiene algún tipo de mascota. De esas personas que conviven con animales, un 33 % lo hace con perros, un 23 % con gatos, un 12 % con peces (¿se convive con peces?), un 6 % con pájaros y el resto pues ya serían iguanas, serpientes y demás animales con pinta de ser cariñosísimos. Si les sorprende la ratio de los peces, que sepan que es por el tirón que tienen en China.

Otro estudio asegura que, en los Estados Unidos, el 1,5 % de la población posee un caballo. Aunque no viene a cuento aquí, me apetecía compartir el dato.

Pero a lo que vamos: que sí, que el mundo de las mascotas se divide básicamente en los que tienen perro y en los que tienen gato. De hecho, igual que uno elige entre los

Beatles o los Rolling Stones, en algún momento de su vida escoge entre los canes y los felinos. Se pueden combinar, desde luego, pero una opción siempre atrae más.

Puede ir relacionado con la personalidad de cada uno, aunque creo que la elección sucede *a posteriori*. Si tienes perro, saldrás más a la calle (al menos tres veces al día) y hablarás con gente con la que, de otra forma, no lo harías, ya que cuando sales a pasear con el perro, la barrera inicial de la comunicación verbal, la más difícil de romper, queda anulada de inmediato. Conversas sobre el perro, su edad, su raza y las cosas que hace y, cuando te das cuenta, ya has entablado amistad en el parque. Los perros te escuchan y te entienden, o al menos dan esa impresión. Un perro es, además de un gran compañero, una estupenda palanca para ligar.

Si convives con un gato, no necesitarás sacarlo a pasear, pero eso no implica que seas un vago, ni más hogareño ni un aprendiz de brujo. Los gatos tienen peor prensa que los perros (eso es innegable) y resulta complicado identificar a otros dueños, ya que no caminamos con ellos por la calle y, aunque solemos ir marcados por numerosos pelos, entre nosotros adoptamos un código no escrito basado en no hacer sangre de las (pocas) desventajas de tener un gato. Los gatos, al igual que los perros, te escuchan y te entienden, pero pasan olímpicamente de ti. Un felino es, además, una dudosa herramienta para ligar. Cuando le anuncias a una chica que tienes gato, por dentro rezas, primero, para que no sea alérgica y, después, para que su primera reacción no sea de asco. Ambas opciones la descartarían por completo, por supuesto.

Y es que si lo piensas, los perros tienen mucho más que ofrecer que los gatos. Incluso son útiles. Pueden ayudar en grandes tragedias, se pueden entrenar para guiar a ciegos o ayudar a personas con problemas, protegen las casas, defienden a sus dueños en situaciones de peligro... Incluso detectan bombas y droga. ¿Y un gato? ¿Para qué sirve un gato? Objetivamente, para nada útil. Pero a ellos (y a nosotros) no nos importa.

Una vez leí una tira cómica que resumía bastante bien la diferencia entre perros y gatos. En la viñeta, aparecían dos escenas. En una, un perro miraba a su dueño y pensaba: «Me da cobijo, me compra juguetes, me da de comer; debe de ser un dios». Al lado, el gato miraba a su dueño y pensaba: «Me da cobijo, me compra juguetes, me da de comer; debo de ser un dios». Tal cual.

No obstante, todo ello no significa que gatos y perros se lleven tan mal como dictan las normas. Todos conocemos ejemplos de extrañas parejas que se adoran, juegan juntos y que, incluso, se consideran familia. Fernando, un amigo que vivió varios años en La Habana, se trajo de allí a un perro y un gato. Lo primero que el minino vio en su vida fue al perro, y dio por hecho que era su padre. Se hicieron inseparables y, de vuelta a España, en El Bierzo, cuando sacaban a pasear al perro, el gato salía con ellos. Sin correa, claro, que los gatos son más versos libres.

A mí me hubiera gustado que Mía tuviera un amigo perro con el que jugar, pero creo que llegamos tarde. Lo intentamos un día. Mi amigo Goyo, que vive a dos manzanas de mi casa, es dueño de Norma, una preciosa malamute de Alaska. Norma es muy buena, y muy juguetona. Y es enorme. Quedamos en que viniera un día a casa con ella, e intentaríamos «hacer las presentaciones». No albergaba ninguna duda de que Norma no lastimaría a Mía, porque es una santa. Sin embargo, me preocupaba bastante más la respuesta de Mía.

El plan era que, una vez que Goyo llamara a la puerta, yo cogiera a Mía en brazos para recibir a Norma de una forma menos abrupta. Pero fue imposible. Mía se olía que algo estaba pasando y corrió a esconderse. Cuando vio entrar a Norma, comenzó a bufar y a encorvarse. Norma, la pobre, saltaba de alegría. Se notaba que quería jugar. Pero Mía me miraba como diciendo: «O sacas a ese mastodonte de aquí o no respondo de mis actos». En su favor he de decir que no debe de ser fácil encontrarte de repente en tu casa a un animal enorme, dando saltos de alegría, y a tu dueño riéndose en tono maléfico.

Norma se tranquilizó, y Mía, que de tonta tampoco tiene un pelo, fue acercándose sigilosamente a ella, aprovechando todo el mobiliario para aproximarse siempre con una barrera de por medio. Avanzaba como si fuera miembro de las fuerzas especiales en medio de un asalto. Cuando estaba a apenas dos metros, pude ver en su cara que se preparaba para atacar. Podía intuir qué tramaba: «Ahora me acerco rápido, le lanzo un zarpazo y si te he visto no me acuerdo». Obviamente había percibido la bondad de Norma. Avisé a Goyo y optamos por abandonar el proyecto.

En otra ocasión nos visitó Jesús acompañado de su perra Lula, una schnauzer que desconoce que es un perro y que se cree humana, porque cuando va por la calle desprecia al resto de los perros no haciéndoles ni caso. Al verla en la puerta, Mía se erizó completamente y puso cara de pocos amigos. Lula, por lo visto, también desprecia a los gatos:

cuando Jesús la dejó fuera de casa atada a la barandilla de la escalera, ni se inmutó.

Los Beatles siempre fueron buenos chicos y sus letras nos ayudaban a aprender inglés; los Rolling, más de arrojar televisores por la ventana. Los perros son los Beatles. Los gatos, los Rolling Stones.

La pluma

«Dios hizo el gato para ofrecer al hombre el placer de acariciar un tigre».

JOSEPH MÉRY

La pluma es, quizás, el elemento que más nos une a Mía y a mí. Se trata de un objeto muy sencillo, que se compone de dos varillas unidas por un pequeño tubo. De uno de los extremos sale una cuerda y, al final de esta, hay una pluma triple. Dos de las hojas de la pluma son negras con motas blancas. La otra, algo más pequeña, es de tono morado.

Cada noche, cuando llego a casa después de trabajar, voy al armario en el que la guardo y Mía empieza a maullar. Cuando la ve aparecer se vuelve literalmente loca y comienza a dar saltos y volteretas en el aire para intentar cazarla. La muevo de diferentes formas: primero más lento, luego más rápido, a ras de suelo, por el aire, en círculos... De vez en cuando le permito atraparla, porque una vez leí que los gatos que no cazan se sienten frustrados, y no quiero tener una gata frustrada. Cuando se hace con la pluma, echa las orejas para atrás y corre con ella en la boca a su escondite (no tiene un escondite fijo, pero si está la ropa tendida dentro de casa, le gusta meterse debajo). Yo la sigo para que no se le escape la presa y se frustre. Incluso si hay invitados en casa, los aviso para que sean conscientes de lo buena cazadora que es: «¡Mirad, cazó, cazó!».

Como si de unos sanfermines se tratara, distingo entre carreras de calidad y carreras normales. Las carreras que más me gustan son las que van del sofá a la cocina. Mientras muevo la pluma, Mía observa desde lo alto del sofá. Empieza a balancearse de un lado a otro, fija la vista, inclina su cuerpo hacia delante, las pupilas se le dilatan y, en un segundo, pega un brinco y se lanza a por su objetivo. Luego están las carreras normales, en las que suelo aprovechar el rato para ir adelantando tareas domésticas y Mía persigue la pluma permanentemente. A veces le gusta esconderse debajo de un mantel o bajo una sábana que está tendida. En esos momentos paso la pluma cerca, o la mantengo quieta, a modo de cebo. De repente aparece primero una de las zarpas, intentando atraparla. Luego salen la cabeza y la otra pata. Y termina panza arriba, tratando de apoderarse de las plumas y de apretujarlas contra su barriga. Una vez que he confesado que distingo entre carreras de calidad y carreras normales, creo que estoy en disposición de contar que, en esos momentos, también hablo con ella. Cuando está a punto de arrancar una carrera, pongo voz de locutor deportivo y empiezo a radiar: «Ojo que está a punto de salir el expreso de Las Rozas. —Al parecer nació en Las Rozas, una localidad cercana a Madrid—. Y... ¡arrrrranca el expreso de Las Rozas!». Mientras lo escribo, me está dando bastante vergüenza reconocer las pijadas que hago, pero es lo que hay. También solemos jugar a los saltos. En una zona del salón en la que no hay muebles, elevo la pluma y ensayamos diferentes cabriolas. Si tenemos gente en casa, les pregunto: «¿Creéis que hay en el mundo algún tigre que cace mejor que ella? ¿Os acordáis de la película *Cómo entrenar a tu dragón?*». Es la media hora que compartimos juntos cada día. Sé que no es lo mismo que perseguir pájaros al aire libre, pero me esfuerzo para que corra, haga ejercicio y se divierta. Ella sabe que la pluma cuelga de un palo y que la mueve su dueño, pero no me dice nada porque seguro que nota que me lo paso casi tan bien como ella.

Tengo celos de una caja

> «El gato rubrica todos sus pensamientos con la cola».
>
> RAMÓN GÓMEZ DE LA SERNA

Si eres un ser capaz de dormir entre doce y quince horas al día, más te vale no mostrarte muy exquisito con los lugares de descanso. O ser un gato, claro. Conozco humanos que sueñan (nunca mejor dicho) con reencarnarse en gato. Sea como sea.

No he visto en mi vida a nadie con tanta capacidad de concentración para el sueño como Mía. Es capaz de quedarse dormida en cualquier rincón de la casa. En ocasiones, cierra los ojos en posiciones incomodísimas, de esas que a los humanos nos provocan un par de días de tortícolis. Alguna vez, tras subirse a la mesa, se ha quedado frita en pleno proceso de robo de una patata frita. Al principio pensaba que se trataba de una táctica, pero no, porque se dormía de verdad.

Los gatos son máquinas del sueño y, como tales, están preparados para dormir en cualquier lugar y en todas las posturas imaginables. En su primer día en casa, Mía creyó conveniente descansar en la librería del salón. Después dormitó un poco en mi pecho, para ablandarme el corazón. Por la noche, se tumbó sobre la alfombrilla del baño y ya de madrugada, decidió que había descansado bastante y que iba siendo hora de jugar un rato.

En nuestro primer año de convivencia, la he visto dormir a los pies de todas las ventanas de la casa, con el sol dándole en la cara; hecha un ovillo sobre su cojín; en cualquier espacio libre del suelo; sobre una silla; en mi cama, sobre la almohada o justo a un lado de mis pies; también en el sofá, incrustándose en el hueco que dejan mis piernas, sobre la manta, de tal manera que no me permitía levantarme ni moverme. He abierto el cajón de las toallas y me la he encontrado con cara de «¿qué hora es?», como si hubiera salido la noche anterior y estuviera desorientada. La escena de abrir un cajón del baño y encontrársela es bastante cómica, la verdad, porque logra parecer parte del mobiliario. Se integra muy bien. Es más, he llegado a descubrir rincones de la casa que ni tan siquiera sabía que existían. Que he visto dormir a Mía en sitios que jamás creeríais, vaya.

A veces tiene que debatirse entre el sueño que la vence y su gen felino, que le impide pasar por alto cualquier acontecimiento que suceda en la casa. Es muy gracioso verla venir completamente adormilada, con una expresión a medio camino entre el fastidio y la curiosidad, porque ha oído un ruido y necesita saber de dónde procede. En otros momentos, los ojos se le van cerrando mientras camina, pero la *gatunidad* siempre prevalecerá sobre cualquier otra cosa, y más si existe la posibilidad de liarla.

Al principio, busqué camas para ella. Las había de todos los tipos, aunque tenía fichada una con forma de tiburón que era graciosísima y que pegaba mucho con ella. Sin embargo, todos mis amigos gatunos y veterinarios me decían lo mismo: «Cómprasela si quieres, pero va a dormir donde le dé la gana». Y entre mi pereza y que Mía parecía no tener problemas a la hora de encontrar camas, lo fui dejando.

Un día me compré unas zapatillas de deporte (diría la marca, pero es publicidad y Mía es muy profesional para estas cosas) y, mientras me las calzaba por primera vez, dejé la caja sobre la mesa del salón. Había visto muchos ejemplos de gatos que se volvían locos por una caja, pero a Mía nunca le había dado por ahí. Hasta entonces. Empezó a juguetear con la caja, buscando la posición perfecta para encajar en ella. Uno jamás se hubiera imaginado que aquel minúsculo espacio ofrecía tantas posibilidades. No dejó de jugar con ella en toda la tarde, y decidí colocarla junto a una ventana. Allí se pasó todas sus siestas de los siguientes días. Lo malo fue que, al estirarse, la fue dando de sí, y uno de los laterales terminó por ceder. Ni a Mía ni a mí nos importaba, pero sí a Mirta, la chica que trabaja en casa, que dio por hecho que aquella caja rota era una caja rota, y se la llevó camino del contenedor azul. Mía se quedó un poco triste, y aunque busqué otras cajas, nada parecía igualar a aquella que, de forma accidentada, se había cruzado en su vida.

Como era septiembre, en la web en la que suelo comprar juguetes para Mía ofertaban una serie de artículos (la verdad es que ahora que lo pienso no tiene mucho sentido eso de «como era septiembre», porque da la sensación de que los productos para gatos van por temporadas, como la moda). Entre los objetos con descuento encontré una caja que también era rascador y que incluía unas pelotas con cascabeles. Algo parecido al paraíso de los juegos gatunos. La vendían a 4,99 y ya se sabe que ese «,99» es letal: 1.000 euros, ni de coña; ahora, 999,99, eso ya es otra cosa. Que caí con todo, vamos.

Cuando la caja llegó a casa, tampoco es que fuera una fiesta. La examinó con la correspondiente condescendencia gatuna, la husmeó y pasó de ella. Pero a los dos días descubrió las pelotas escondidas, y se pasaba un buen rato jugando. Al tercero empezó a rascar en la superficie, ya que la caja se cierra, en su parte superior, con un cartón rascador. Y al cuarto comenzó a dormir encima. Y ahora resulta que se queda todo el día ahí repantingada. Durmiendo en cualquier posición imaginable, pero vigilando su caja-rascador, como si en su interior se escondiera un tesoro y no quisiera alejarse de él. Y claro, yo echo de menos los días en los que se ponía a dormir entre mis piernas y no me podía mover a gusto, y las siestas de los sábados, cuando ella se tumbaba en el sofá y parecíamos una familia feliz. Incluso puedo oír cómo el cojín, su cojín, se pregunta en verso:

«¿Qué tiene esa caja que no tenga yo?
si soy suave y mullido,
y siempre fui su preferido».

Sigue viniendo a dormitar un rato en mi pecho, pero en cuanto puede, se vuelve para allá, y no es lo mismo. Creo que tengo celos de la caja-rascador. Y me da casi más pena por el cojín que por mí, porque el pobre se ha quedado ahí en su rincón esperando que la caja pase de moda. ¿Quién me lo iba a decir? Haciendo piña con un cojín. Malditas sean las ofertas por cambio de temporada.

Amigos gatunos

¿QUIÉN ES EL DUEÑO DE QUIÉN?,
por Paloma Abad

Primero fue Antón, que llegó a mi casa de Galicia cuando yo tenía diez años. Era un gato siamés inusualmente sociable y bienhumorado. De lo que más disfrutaba en el mundo era de jugar con niños –creo que haber crecido conmigo disfrazándolo de muñeca y pintándole uñas y labios ayudó a su docilidad– y dormir al calor del horno de leña. No pasó un día, en los veintiún años que vivió, sin que mi abuela encendiera el fuego y le acomodara una silla al frente para que se echara una siesta al calor de las llamas.

La acompañaba a todas partes. Una vez incluso estuvo a punto de perder la nariz por querer estar a su lado mientras ella cortaba repollos con una hoz recién afilada. Menudo disgusto nos llevamos todos. Al final, se quedó solo en un susto. Los felinos tienen esa asombrosa capacidad de recuperación.

Antón tenía más bien poco que ver con la idea preconcebida de lo que debe ser un gato de aldea. Él era más doméstico que un vuelo entre Madrid y Valencia. Jamás durmió en la calle, tuvo siempre varios tipos de pienso a su disposición (le gustaban unos u otros, por épocas) y, por supuesto, una habitación propia que haría las delicias de Virginia Woolf. Ratones y pájaros cazados: menos de una docena. A razón de uno cada dos años. Amor recibido: infinito.

En 2005, al acabar la carrera de Periodismo, ya en Madrid, encontré a Baldomero. Cuando lo fui a visitar a la casa donde lo ofrecían en adopción, ya me di cuenta de que era el jefe de la camada. No dudaba en pisar y empujar a sus hermanos para llegar el primero a la leche de su madre. Era un torrente de energía, dirían algunos. Una auténtica bestia parda con un carácter difícil y caprichoso, asegurarían otros.

Anécdotas no me faltan. Entre sus aficiones favoritas, destacaba el esperar tras la puerta para morderte los tobillos si habías hecho algo que él consideraba ofensivo. Por otra parte, y gracias a su gusto por limarse las muelas con los cargadores de MacBook, tuve ocasión de hacerme popular en las tiendas de repuestos de Apple. Y su obsesión por mantener las garras pulidas me obligó a dejar de invertir en sofás y comenzar a heredarlos de amigos a los que se les habían quedado viejos porque, total, a mí, con suerte, solo me durarían un par de años.

Pero, ay, amigos, en sus momentos más dulces se subía en mi regazo, amasaba mi pecho con sus patitas y comenzaba a ronronear como si yo fuera la única razón de su existencia. Compensaba toda su ira de Atila con ráfagas de amor espontáneo que le permitían colocarse en un lugar privilegiado en la cama a la hora de dormir. Debajo de las sábanas y con la cabeza en la almohada. Como un humano. Solo que era un gato común europeo (en mi casa se llaman *palleiros*), con su pelaje blanco y negro y un pequeño lunar negro en la nariz que, con los años, fue creciendo hasta teñírsela casi por completo. Era, permítanme el lugar común, el rey de su casa.

No llevó nada bien que, cuando se aproximaba su décimo cumpleaños (ya había cambiado la rebeldía adolescente por un carácter agrio, pero manejable, incluso dulce por momentos) le llevara de regalo a la pequeña Jimena.

A Jimena la recogí en Torrevieja. Convencí a unas amigas para irnos de fin de semana a Elche y Alicante y, a la vuelta, traernos a una gatita en adopción (con ella vinieron dos hermanos más, para sendas familias madrileñas). Estaba delgada, sucia y no podía abrir bien los ojos a causa de una conjuntivitis. Un auténtico tesoro. Lo más normal es que, de primeras, Baldomero odiase a esa piojosa. Y así fue. La miró y, con todo el desdén del que fue capaz, dio media vuelta y la ignoró.

A los pocos días, ya recuperada de la conjuntivitis, con su blanco pelaje recién lavado y un ojo azul y otro marrón (créanme, por un momento pensé que esa mirada era síntoma de que la conjuntivitis no se había acabado de curar bien) y con una alimentación tan equilibrada como la dieta de Baldomero permitía –sus problemas digestivos serían los que, a la postre, acabarían llevándoselo antes de tiempo–, Jimena estaba deseando jugar con su nuevo compañero de vida. Él, que nunca fue de enfrentamientos directos con otros animales, le daba, como respuesta, un trato de silencio, aderezado con su más genuina mirada castigadora. Así fue, más o menos, su relación hasta que, tres años después, el cáncer se lo llevó.

Es cierto que, en los últimos tiempos, cansado ya de tantos tratamientos, mareos y vómitos, se volvió mucho más cariñoso y generoso. Algunas veces incluso se acostó a dormir al lado de Jimena, y no era infrecuente verla tratando de acicalarlo un poco. Él no ponía buena cara, pero se dejaba hacer. Antes de irse, se reconcilió con el lado amable de las cosas.

Jimena y yo nos quedamos solas en noviembre de 2016. Creí, honestamente, que le costaría enfrentarse a la vida sin Baldomero. No por el amor que él le profesaba, sino porque ella jamás había estado sin compañía. Craso error. Al tercer día ya saltaba a la cama exigiendo más espacio, más atención, más comida y más amor. Ese fue el tiempo exacto que tardó en descubrir que ella, también, quería ser gata única.

Le gusta pasar tiempo a mi lado. Necesita un mínimo de contacto físico para dormir tranquila, pero, si la aprieto fuerte contra mí, descansa mejor. En el otro lado de la cama está su «cestita», un cojín gigante que hizo propio el mismo día que llegó (*it's a match!*). Sin él no sabe ronronear, así que, como se imaginarán, ese cojín ha hecho muchos viajes a Galicia. Entiéndanlo: viajar con Jimena equivale a llevar una maleta aparte con su camita, para que las dos podamos ronronear a gusto.

Con la partida de Baldomero, Jimena se ha vuelto aún más tímida y miedosa de lo que era. No es arisca, todo lo contrario, pero le cuesta aproximarse a personas que no conoce y, en cuanto hay algún ruido extraño, huye despavorida. A pesar de eso, se acerca a la puerta cuando oye el timbre y, si soy yo la que gira las llaves para entrar en casa, siempre me está esperando en el recibidor. Quiere ser sociable y tiene un corazón lleno de bondad (más próximo al de Antón que al de Baldomero), pero su carácter asustadizo juega en su contra.

Creo que he pasado más tiempo con ella en los últimos cuatro años que con cualquier otro ser vivo. Cuando estoy en casa, es mi sombra. Así que, como comprenderán, a estas alturas de mi felina película, no me molesta que aparezca un pelo flotando en la sopa. Ni en la ropa. Ni entre las sábanas recién puestas. Convivo desde hace años con tal profusión de pelaje ajeno que, por puro afán de supervivencia, mi cerebro ha decidido pasar por alto su existencia. Ahora bien, el universo se encarga de recordármelo cada vez que, al hablar con alguien, esa persona empieza a retirarme pelos de manera cómplice y cariñosa del jersey.

«Vivir con un gato es lo que tiene», respondo lacónicamente.

Esta anécdota de pelusas constituye, según muchos, la razón principal para no tener una mascota en casa. Podrán decir que voy a contracorriente, pero a mí se me hace muy llevadero el impuesto revolucionario –ya es invisible a mis ojos, que diría *El Principito*– que pago por el placer de compartir mis cuatro paredes con el animal más bello del mundo.

Pensarán que tanta ingesta irregular de pelos me ha nublado el entendimiento. Quizá estén en lo cierto. Pero cualquiera que haya convivido con un felino sabe de su sigilosa destreza a la hora de convertir a los humanos en sus fieles escuderos, en sus mascotas más dóciles, en sus perrillos esclavos. Yo viajo con una cestita de 50 x 50 para que mi gata duerma cómoda. ¿Quién es dueño de quién en esta desigual relación?

Los gatos se han encaramado –y en este pensamiento soy irreductible– a la cúspide de la pirámide alimenticia. Ofrecen amor cuando les viene en gana, bufan si les molestan, vomitan bolas de pelo en los lugares más inverosímiles para luego dejarlas atrás, olvidadas, y jamás mueven una almohadilla por ayudar con las tareas del hogar. ¿Qué proporcionan a cambio? Nada, dirán los escépticos. Todo, replicaremos quienes ya hemos sido amaestrados entre silencios y (aparentes) desprecios. No querría ponerme excesivamente sentimental, pero muchas veces una caricia suya –espontánea, inesperada, auténtica– basta para sanarnos.

Apuntes musicales (y II)

«Creo que los gatos son espíritus que han venido a la
Tierra. Un gato, estoy seguro, podría caminar en una
nube sin atravesarla».

JULIO VERNE

Hasta la llegada de Mía, y más allá de Sabina, mi conocimiento sobre temas gatunos se limitaba a la mítica canción
de Loquillo, aquella que dice lo de que «cualquier noche los
gatos de tu callejón / le aullarán a gritos esta canción». Ahora, claro, no la escucho de la misma forma: me da igual la
banda de rocanrol y que la madre de la novia del cantante
lo mire mal y no se lo diga; lo que me hace gracia es ima-
ginarme a Mía tocando la guitarra eléctrica en un callejón.
Así de simple soy.

Tenía, claro, las referencias lógicas de la niñez: *El gato
que está triste y azul*, por ejemplo. Nunca entendí por qué el
gato estaba triste y azul, y tampoco comprendía muy bien la
canción, pero me transmitía tristeza. Es decir, que un mínimo sí captaba: básicamente, que aquello no había ido bien
y que a alguien le habían roto el corazón. Resulta que, en
realidad, esa parte de la canción, en la versión española, no

tiene ningún sentido, ya que los traductores se armaron un lío y terminaron empleando dos palabras –triste y azul– para el «blu» que aparece en el título original, *Un gatto nel blu*. La historia de este error se puede encontrar en numerosos artículos.

También conocía la mítica *Year of the Cat*, de Al Stewart, pero no me gusta mucho porque la incluía el primer CD que me grabó una novia que en su día me dejó y por la que lo pasé bastante mal. Si me grabó un CD, pueden hacerse una idea de cuánto tiempo hace de eso...

Y claro, mi bagaje cultural felino también contenía la canción *Mi gato*, de Rosario, que es un tema con un estribillo más raro que un bicho palo. Una vez, en una entrevista, le preguntaron a la intérprete si no podía decir aquello de «uy, uy, uy, / mi gato hace uy, uy, uy», pero con otras palabras, y ella contestó: «Mi gato y mi alma son iguales». Muy enigmático todo.

Sin embargo, un día, hablando con Igor Paskual, que precisamente forma parte de la banda de Loquillo y es un tipo curioso que sabe de muchísimas cosas, recibí una clase magistral de canciones sobre gatos.

Comenzamos con *Phenomenal Cat*, de The Kinks. Narra la historia de un gato gordo que se pasa el día rascándose la barriga tumbado en un árbol. Y el único interés del minino es comer, porque quiere estar gordo. El animal había viajado por medio mundo, pero fue en el barrio viejo de Hong Kong donde descubrió el secreto de la vida, que es básicamente hacer lo que te dé la gana.

Stray Cat Strut, de Stray Cats, se aproxima bastante a lo que debe ser la psicología felina. El gato protagonista pasa el día sobre una verja. No tiene dinero para pagar el alquiler gatuno, está arruinado, un señor le intenta acertar con un zapato, busca la comida entre los cubos de basura..., pero a él todo eso le da igual porque es un casanova, y cuando canta su canción, las gatas del vecindario, a pesar de su clase y estilo, le confiesan que envidian su existencia salvaje y libre.

Hay también una canción de Hayden titulada *Woody* que es una preciosidad. Trata sobre las escapadas diarias de su gato. Y tiene un punto de melancolía futura, cuando afirma que se preocuparía si cada primavera no se comportara de igual modo, si no necesitara a su dueño. Uno se imagina al músico tocando el banjo sentado sobre la barandilla de su casa de campo, esperando a que su gato aparezca en el horizonte, de regreso a casa.

The Cure también se atrevió con los mininos. Lo hizo en *The Lovecats*, en la que se plantean muchas similitudes entre el ser humano y los gatos. En el videoclip aparecen varios gatos. Seguramente en la actualidad las sociedades protectoras de animales no hubieran permitido que se rodara, ya que hay una escena en la que Robert Smith aparece sentado con un cachorro en sus brazos. El pobre animal lo mira como diciendo «¿Quién es este señor con ese pelo tan raro y por qué no me deja escapar de sus garras?». El grupo también compuso *All Cats Are Grey*, que viene a ser la versión inglesa de «De noche, todos los gatos son pardos».¿Cuántos padres y madres del mundo han tenido toda su descendencia del mismo sexo y lo han pagado con el más pequeño, vistiéndolo como un niño o como una niña, en un arranque de furia contra la genética? Yo conozco un par de casos. Algo parecido le sucede a Norma Tanega en *Walkin´ My Cat*

Named Dog. El mérito reside en que ella lo decía en 1966, cuando nadie sacaba a pasear a su gato. ¿Y no me negarán que no es poético llamar Perro a tu gato?

¿Cuántas relaciones se habrán ido al garete por culpa de los gatos? Seguramente muchas. Sobre todo si el gato estaba antes que alguna de las partes. Porque el minino no va a ceder terreno así como así. Es más, es probable que intente hacerle la vida imposible al recién llegado. Y lo hará poniendo cara de bueno ante su dueño. De eso trata *Maldito gato*, de Asfalto. Pero seguramente la gata con más suerte del mundo fue *Delilah*, propiedad de Freddie Mercury, para la que compuso una canción con su nombre. Mercury era, con casi toda seguridad, el único cantante que ha habido (y que habrá) capaz de meter un maullido de gato en una canción y que quede bien. Y también de definir perfectamente lo que es tener un gato: «Te alejas después de cometer el crimen, inocentemente». Escúchenla mientras observan a su gato, y si no sienten algo cercano a la felicidad, es que no tienen corazón. Ni musical ni felino.

El *show* de Mía

«Los gatos no buscan tu aprobación».

GREGORY MAGUIRE

Los gatos son seres territoriales. De hecho, a partir de determinado momento, que suele coincidir con el primer o segundo día en el hogar, la casa pasa a ser de su propiedad y tú te conviertes en su inquilino. Escogen dónde quieren tumbarse a dormir, deciden qué muebles van a rascar para afilar sus uñas y se pasean por las diferentes estancias con aire de propietario que ya ha terminado de pagar su hipoteca.

Identifican rápidamente dónde tienen la comida y la bebida. Conocen de inmediato el lugar en el que está el arenero. Distinguen perfectamente el sonido de un armario cualquiera del de aquel en el que guardas los premios o los juguetes. Adivinan, incluso, los movimientos que predicen que vas a salir de casa. Saben qué esconde cada puerta. Los gatos tardan muy poco tiempo en hacerse una composición del lugar en el que habitan y en convertirse en los dueños de este.

Mía, como todos los gatos, es bastante curiosa. Cada vez que llego a casa a una hora normal (es decir, de las que ella tiene identificadas como hora de llegada de gente) está esperándome en la puerta. E intenta salir.

Al principio no me hacía mucha gracia. Como buen hipocondriaco, soy muy miedoso, y mis temores incluían desde que se escapara corriendo y llegara a la calle (cosa bastante poco probable porque es un tercero y no es que vaya explorando a la velocidad de la luz, precisamente) a que se pudiera caer por el hueco de la escalera (me gustaría enseñarles una foto del «hueco» de la escalera, pero seguramente dejarían de leer de forma inmediata por miedo a que se les contagiara la tontería).

A lo que vamos: un día decidí que ya estaba bien de miedos, que Mía era una gata y que entraba dentro de la lógica que quisiera satisfacer su curiosidad; que no ocurriría nada por dejarla salir un rato a investigar, vamos. Así que, cuando abría la puerta, le permitía salir. Mientras me liberaba de las bolsas de la compra o la mochila, ella subía hasta el cuarto piso o bajaba al segundo. Y, qué cosas, el mundo no se acababa. Si oía la voz de algún vecino, se metía directamente en casa. Si se escuchaba algún ruido inesperado, volvía corriendo a toda velocidad. A pesar de ello, disfrutaba mucho de esas excursiones. La prueba está en que a veces la llamaba con pavo en la mano y hacía caso omiso.

Pero no iba a ser todo tan bonito. De haber nacido yo un poco más perspicaz, hubiera previsto lo que sucedería a los pocos días. Mía se había percatado de que existía un mundo más allá de la entrada y, claro está, quería conocerlo. Así que le dio por ponerse a maullar por las noches pegada a la puerta, suplicando que le permitiera salir un rato a explorar. Para ella no era la puerta de entrada, sino una puerta más, pero cerrada. Y ya se sabe que eso es lo último que toleran los gatos. No es que quieran acceder a la estancia o permanecer en su interior, es que, sencillamente, no soportan ver una puerta cerrada. Y punto.

La clave está en que Mía, hasta que la dejé salir, desconocía esa entrada a un paraíso de escalones y felpudos y, por lo tanto, no tenía ningún tipo de aspiración. Ahora, cada vez que oye un ruido procedente de la escalera, estira las orejas y se acerca a mirar por la rendija inferior de la puerta. Me recuerda en cierto modo a la película *El show de Truman*, en la que el personaje interpretado por Jim Carrey descubre un día que forma parte de un *reality show* basado en su vida: atraviesa una puerta y se topa con el mundo real. A lo mejor Mía tiene esa sensación al cruzar el felpudo. Yo, por si acaso, he decidido restringir las excursiones, no vaya a ser que llegue a intuir las posibilidades que ofrece el mundo exterior y un día me saque el tema, diciéndome para empezar lo bien que se vive conmigo y demás lugares comunes, y termine preguntándome si no creo que ya va siendo hora de independizarme y buscarme una casa para mí solo.

Puro chantaje

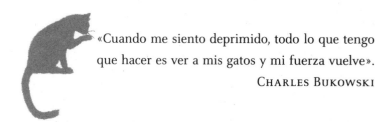

«Cuando me siento deprimido, todo lo que tengo
que hacer es ver a mis gatos y mi fuerza vuelve».

CHARLES BUKOWSKI

Me pregunta mi editora, Àngels, si los gatos hacen chantaje emocional. No, los gatos no chantajean emocionalmente.
Los gatos son auténticos maestros en la materia. Es más,
creo bastante probable que fuera su especie la que inventó
el chantaje emocional.

Cuando regreso a casa, después de tumbarse boca arriba
para que baje la guardia, Mía sale corriendo hacia la ventana
junto a la que está su rascador. Es un movimiento que tiene perfectamente estudiado. Ella sabe que iré a beber agua
y que con toda probabilidad, abriré la nevera. Entonces, se
pone a afilar sus uñas en el lugar que corresponde. El problema reside en que mientras lo hace, me mira, mandándome un mensaje muy claro: «Eh, tío, mira como rasco donde
tengo que rascar». Y la muy cabrita siempre lo consigue: de
repente, no existe el sofá destrozado ni la silla rascada... Y
logra el trozo de pavo que, sabe, se merece por arañar una
vez al día en el lugar indicado.

En el caso de que me ausente de Madrid unos días (no suelen ser más de dos o tres), cuando llego, me ignora. Pero no vayan a pensar que se va de la habitación en la que yo estoy, no. Ella se limita a darme la espalda. Se sienta en el sofá mirando hacia la tele y rehúye mis caricias. Si me incorporo, me vigila con atención, no vaya a ser que se pierda algo hiperdivertido, pero por lo general evita levantarse, haciéndome entender que me está castigando por mi ausencia. Es más, ha llegado a tumbarse encima de mí con la cabeza mirando hacia mis pies, lo cual constituye, seguramente, una de las mayores muestras de desprecio gatuno de la historia. No es muy rencorosa, aunque dos o tres días de castigo después de cada viaje no me los quita nadie. Y le da igual que la ausencia sea por trabajo o placer, por supuesto.

Asimismo, maneja con maestría la escena de la despedida diaria. Cada mañana, cuando me dispongo a salir, clava en mí sus dos pupilas gatunas y pone (o eso creo yo) ojitos tristes. Es un gesto que dice: «¿Me vas a dejar otro día sola en casa?», y por esta razón intento no cruzar la mirada con ella cuando cierro la puerta, porque me da muchísima pena.

También sabe dosificar sus maullidos. No es una gata muy habladora, pero los emplea con mucho sentido. Cuando voy a servirle comida húmeda, por ejemplo, utiliza un maullido de ilusión dirigido única y exclusivamente a que la cucharada sea más grande; el mismo sonido que emite repetidamente cuando se sitúa al lado de la puerta de la calle, pidiéndome que la abra, para poder salir a explorar. Solo los que tenemos gato sabemos lo duro que resulta resistirse a esos maullidos emitidos con una cadencia de tristeza perfecta, que logran hacerte sentir como un carcelero.

Si se ha portado mal, si ha tirado o roto algún objeto o si ha liado alguna, también recurre al chantaje emocional. Lo primero que sucede, después de que acontezca el incidente en cuestión, es que se asusta. Los gatos gustan de hacer el mal, pero también son muy miedosos. Y el mal gatuno suele provocar mucho ruido, sobre todo cuando consiste en tirar cosas. Es decir, que su primera reacción es salir corriendo. Y entonces, mientras estás recogiendo los destrozos de su última ocurrencia, regresan al lugar del crimen y deambulan por delante de ti mirando de soslayo a la víctima como si fueran paseantes que no guardan relación alguna con la escena. Y claro, con ese estilo y esa elegancia, no les puedes decir nada.

Mía, además, sabe cuándo se ha portado mal y, de alguna forma, ha interiorizado que tiene que darme la oportunidad de que la perdone. En esos días, antes de dormirme, viene y se tumba sobre mí, dándome besos con la lengua. Después, se retira un poco y se acurruca sobre la manta, en el hueco que dejan mis piernas. Sucede entonces la máxima expresión del chantaje emocional: quieres levantarte o simplemente cambiar de postura, pero la escena de tu gato durmiendo plácidamente entre tus piernas te lo impide. Como suele decir mi madre, el que por su gusto corre, jamás de la vida cansa.

Moderadamente feliz

«Los gatos saben por instinto la hora exacta a la que van a despertarse sus amos, y los despiertan diez minutos antes».

JIM DAVIS

Existe una cuestión que me preocupa desde el principio de mis tiempos gatunos: la felicidad de Mía. Se trata de un tema que me he planteado muchísimas veces y que ha llegado a causarme cierto grado de agobio; porque, primero, está el debate de si un gato debe permanecer encerrado en un piso todo el día, muchas horas solo. Hay quienes afirman que serían más felices vagando por los tejados (como un gato sin dueño y tal y cual), cazando ratones, rebuscando en la basura y peleándose con otros gatos.

Quienes tenemos gato tendemos a consolarnos pensando que les hemos dado un hogar, les aseguramos comida, techo y bienestar, que en invierno no pasan frío y en verano disponen de rincones a la sombra en los que cobijarse; que tienen unas manos que los acarician por la noche; que les hacemos jugar a buscar los premios, que al final siempre aparecen; y que a ver dónde encuentran un buen sofá para rascar en la calle...

Con estas tribulaciones, escribí a Vero el 14 de febrero de 2017. Necesitaba una respuesta.

Yo: ¿Tú crees que debería tener otro gato?

Vero: No necesariamente.

Yo: Es que me da una pena de ella...

Vero: Hay gatos a los que les encanta tener compañeros y otros a los que les horroriza.

Yo: Es que empecé un máster y no llego a casa hasta las 22:30, y cuando llego se vuelve loca de alegría y empieza a correr, a brincar...

Vero: Prueba... Mía es muy jovencita y no es miedosa. Creo que puede encajar con otra gata.

Yo: ¿Gata o gato?

Vero: Yo soy de hembras, prefiero gata.

Yo: Pero ¿cómo que pruebe? Si pruebo, me lo quedo, que me encariño.

Vero: Me refiero a que metas otra gata y, a no ser que sea un desastre, te la quedes. Pero no lo hagas de golpe. Los primeros días enciérrala en un cuarto, dale tiempo a Mía.

Yo: ¿¿¿¿¿Encerrarla en un cuarto todo el día?????

Vero: A la nueva, no a Mía.

Yo: ¿Y pueden compartir arenero?

Vero: No, a la nueva la dejas en una habitación, con su arenero, su comedero y su bebedero.

Yo: Vale, pero luego pueden compartir arenero, bebedero, comedero y transportín.

Vero: Claro, luego lo comparten todo.

Aquí Vero añadió un audio de casi un minuto en el cual me detallaba cómo hacer para que la llegada de otro animal resultara lo menos traumática posible.

Yo: Es que... a ver: a mí lo que me preocupa es que Mía sea feliz. Y me da penina toda la semana sola...

Vero: Mete otra gata.

Yo: Pero que igual es feliz así, ¿eh?

Vero: Puede, pero creo que se adaptaría bien a otra gata.

Yo: Pero ¿tú crees que Mía es feliz?

Vero: 😄 Sí. Pero algo sola se siente, y aburrida.

Yo: Ay...

Vero: Cuando tú no estás no hay juego, tampoco tiene qué cazar porque le damos la comida directamente en su comedero... No tiene NADA que hacer... Al menos, con otro gato puede jugar.

Yo: ¿Y qué hace Chloe?

Vero: Chloe pasa muy poco tiempo sola,
porque por las tardes están las niñas y la chica,
y por las mañanas estoy yo.

Yo: Ya... Bueno, no sé. Es que yo creo que es feliz.
Se aburrirá un poco, pero como todos.

16 de abril de 2017

Yo: Vero.

Vero: Dime.

Le envío una foto de Mía en el sofá, con la pata derecha delantera sobre el mando de la televisión.

Yo: Mía dice que es moderadamente feliz.

Vero: No me cabe la menor duda.

[Después de este capítulo, se recomienda escuchar la canción *Gente feliz*, de Pablo Moro].

Reflexión de domingo
por la tarde

«¿Qué clase de filósofos somos, que no sabemos absolutamente nada del origen y el destino de los gatos?».

HENRY DAVID THOREAU

Una tarde de mayo, estaba sentado en un banco del parque del Oeste de Madrid. Una pareja con un carrito de bebé paseaba cerca, y justo cuando estaban a mi lado, oí que la madre decía: «¿Qué le pasa a mi jilguero?». Una vez descartado que se tratara realmente de un pájaro –no creo que mucha gente le compre un carrito último modelo a un pájaro–, pensé en lo raro que habla la gente a sus bebés: cómo cambian la voz y se dirigen a ellos como si fueran tontos.

Algo parecido sucede con las parejas: hay un momento difícilmente identificable en el que surge «la voz». ¿Que qué es «la voz»? Un sonido raro que emerge de las entrañas y que solo empleas cuando estás con tu pareja. De hecho, si tus amigos te oyen utilizarla, se reirán de ti con crueldad, aun sabiendo que ellos se comportan de igual modo de puertas para adentro. Es un sonido a medio camino entre la regresión a la infancia y la imbecilidad. También se usan palabras que no creías que existieran, como, por ejemplo, «peque», «gordi» o «cari», y si estás esperando un niño, utilizarás expresiones como «estamos embarazados».

En todo eso iba yo pensando cuando llegué a casa. Al abrir la puerta, Mía salió a recibirme. Inmediatamente, mi cara mudó en una felicidad absoluta, y «la voz» se apoderó de mí.

Ruego al lector simule esa voz ridícula que todos conocemos para reproducir mentalmente las siguientes frases:

–Pero ¿dónde está la gatita más guapa del mundo? ¿Eh? ¿Eh? ¿Dónde está?

Entonces la cogí y la aupé, la subí por encima de mi cabeza y empecé a decir:

–Pero bueeeeeeno, pero bueeeeeno.

Aquí normalmente meto algo de tembleque en las es, como si fuera una persona de mucha mayor edad. He de explicar que ese «Pero bueeeeeno» es la expresión editada de la inicial «¡Pero bueno! ¿Quién está aquí?» que le decía durante sus primeras semanas en casa.

Y luego llegó ya el desparrame final, cuando comencé a contarle el paseo que acababa de dar. Y mientras le explicaba que le iba a dar un poco de pavo, porque era domingo y se lo merecía, me pregunté si los jilgueros comerían pavo, y me di cuenta de lo miopes que somos para las pifias propias y lo rápidos que vamos cuando se trata de reírnos de los demás.

Mía y Publio Terencio Africano

«Circula como le parece, visita sus dominios a capricho, puede acostarse en todas las camas, verlo todo y oírlo todo, conocer todos los secretos, todas las costumbres o todas las vergüenzas de la casa».

Guy de Maupassant

Publio Terencio Africano fue un dramaturgo latino que vivió en el siglo II antes de Cristo. Y se preguntarán ustedes: ¿qué demonios tiene que ver ese hombre con Mía? Pues que Terencio fue el autor de una famosa frase que reza: *Homo sum; humani nihil a me alienum puto.* La frasecita se traduce por: «Soy un hombre; nada de lo humano me es ajeno». Y, con muy buen juicio, continuarán sin entender por qué narices les hablo de este tipo. Bien, desde el mismo día en que llegó a casa, Mía dejó claro que era un felino y que nada de lo que sucediera en el domicilio le sería ajeno. Y cuando digo nada, quiero decir NADA.

No hay actividad casera, por sencilla o corta que sea, que no le genere un sincero interés. Es más, sucede a veces que está plácidamente dormida en el sofá, tumbada en su cojín, y al oír un ruido, pone cara como de fastidio. Parece que pensara: «*Joé*, qué pereza levantarme ahora, pero soy una gata y tengo que ir a mirar qué está ocurriendo, no vaya a ser que me pierda algo interesantísimo».

Da igual la puerta que abra o la actividad que esté realizando. A ella le interesa todo. Si me estoy vistiendo por la mañana, le resultará atractiva tanto la apertura del armario de las camisas como la del de los pantalones, no vaya a ser que salga mal conjuntado de casa. Si voy a por unos zapatos, ella saltará a la balda en la que los guardo. Y si quiero coger un bañador porque ese día voy a la piscina, se meterá en el cajón tan pronto como lo abra. Si estoy cocinando, seguirá todo el proceso con maneras de gran cocinera. La parte que más le gusta del proceso culinario es el corte de los productos. Las patatas, en concreto, la vuelven loca. Se queda como hipnotizada viendo cada movimiento de cuchillo. Hasta que aparece el instinto, claro, y entonces comienza la pelea por intentar robar alguna. Es una situación muy graciosa, porque ella actúa como si yo no la viera. Va acercando la zarpa poco a poco y, cuando se encuentra lo suficientemente cerca, engancha una rodaja y sale corriendo con ella.

Mientras coloco todo en el friegaplatos, se suele instalar sobre el electrodoméstico, tumbada y con las patas delanteras colgando en el vacío. Sigue con la cabeza cada plato, cada vaso y cada cubierto que voy poniendo, como si estuviera ante un partido de tenis. A veces, se asoma para echar un vistazo a la bandeja más alta y comprobar que está todo bien colocado.

Cuando relleno su comedero o su bebedero, o limpio su arenero, ahí aparece. Es como si quisiera supervisarme. Si toca cambio de arena y hay que remojar el receptáculo, se queda todo el rato a mi lado, esperando no solo a que termine de limpiarlo, sino a que lo rellene de nuevo.

Si estoy barriendo, seguirá la trayectoria de la escoba todo el tiempo, instalándose –sí, lo han adivinado– en el recogedor. Y si tengo que buscar algún objeto que se ha caído debajo del sofá, se tumbará a mi lado, observando con cara de asombro mis torpes movimientos y diciéndome con la mirada que ella tardaría dos segundos en recogerlo, pero que, básicamente, pasa.

Si hay más de una persona en casa, noto que se estresa un poco. Pero no porque no le gusten los extraños, sino porque tiene que elegir a quién seguir, y sabe que se está perdiendo algo. Y claro, teme no haber escogido la opción correcta. Es lo que los modernos llaman FoMO (miedo a perderse algo, en sus siglas en inglés). Mía lo soluciona yendo de punta a punta de la casa, vigilándonos a todos. Si permanece a tu lado, significa que ese día eres lo más divertido del hogar.

Pero lo que más gracia me hace, con muchísima diferencia sobre lo siguiente, es su curiosidad en el baño. A día de hoy, y ya llevamos casi 400 días juntos, sigue poniéndose sobre las patas traseras y asomándose a la taza del inodoro cada vez que tiro de la cadena.

Los gatos y el cine

«Me gustaría ver a alguien –profeta, rey o Dios– que
convenza a un millar de gatos para hacer la misma
cosa al mismo tiempo».

NEIL GAIMAN

Así, a bote pronto, hay muy pocas películas en las que los
gatos tengan un papel principal. Y así, a bote tardío, también. Está Jonesy, el gato de *Alien*, que viaja en la nave y es
el único que mantiene la calma en todo momento. Está Gafe,
en *Los padres de ella*, que se convierte en un elemento más
de disputa entre suegro y yerno. Está *Un gato callejero llamado Bob*, que narra una historia increíblemente real sobre
un gato y un músico callejero al que hizo millonario. Y está,
claro, Gato de *Desayuno con diamantes*. También hay un
documental maravilloso: *Kedi*, que narra la vida de varios
gatos en Estambul.

En el ámbito de los dibujos animados, aparecen algunos otros felinos memorables. Está aquella tierna mirada de El Gato con Botas en *Shrek 2*, que quizá constituya
uno de los momentos en los que el cine ha logrado captar

con más precisión el alma zalamera de los mininos. Después, todos los protagonistas de *Los Aristogatos*; *Lucifer*, el malvado y orondo gato de *La cenicienta*; o el semidiós gatuno que es el Gato de Cheshire en *Alicia en el País de las Maravillas*.

Pero poco más. Y no vayan a pensar que no hice mi trabajo, porque recurrí a algunas de las personas que más saben de cine en este país (véanse Carlos Boyero y Carlos Marañón). Sin embargo, la respuesta de los entendidos fue bastante similar: «Uf, ¿gatos? No se me ocurren muchas... Con perros sí, pero con gatos...».

Siguiendo el consejo de otro crítico, Javier Ocaña, me adentré en la base de datos IMDb y descubrí que existen 4.360 títulos con alguna referencia a «*cat*». Teniendo en cuenta que cerca de la mitad son referencias a «*catholic*», que el término «*cattle*» (ganado) se lleva otras 650 películas y que la base de datos recoge absolutamente todas las referencias a gatos, ya sean gatos suicidas, disfraces de gatos, ataques gatunos e incluso gatos vestidos de esmoquin, hay que reconocer que la carrera cinematográfica de los mininos no goza de mucho porvenir.

Y en este punto, los dueños de gatos hemos de ser sinceros y aceptar que este hecho no forma parte de la leyenda negra del animal, sino que es algo merecido. ¿Alguien se imagina el drama que puede ser el rodaje con un gato? ¿El número de veces que se puede repetir una escena hasta que le dé por comportarse como le piden? ¿Alguien ha visto alguna vez a un gato hacer lo que le piden? Porque a un perro medianamente entrenado le das una orden y la cumple. Pero al gato no vas a poder entrenarlo, directamente. Otra cuestión es que tengan un gracejo y una elegancia naturales y sean unos grandes actores. Más cercanos al cine Dogma 95, eso sí.

Los veranos de Mía (y II)
o El verano rebelde de Mía

«Los gatos tienen la intención de enseñarnos que no todo en la naturaleza tiene un propósito».

GARRISON KEILLOR

No sé cuándo les llega la pubertad a los gatos, pero sí que sé que, en 2017, Mía pasó uno de esos veranos en los que los humanos, en la infancia, acabamos con las rodillas de color morado de tantas heridas, enfadados con nuestros padres de tantos castigos y regresamos a la rutina un tanto asilvestrados.

Era ya nuestro segundo verano juntos, por lo que todo lo referente a traslados, juguetes, comida y areneros estaba mínimamente organizado. Se porta bastante bien en los viajes y no suele extrañar mucho.

Llegamos a Ribadesella y todo en orden. Nos instalamos. Coloqué el arenero en el baño, su comedero en el pasillo (porque el bloqueo de la vitrocerámica, que a Mía le apasionan las placas, es bastante malo y cuando salgo de casa tengo que cerrar la cocina) y enchufé el Feliway. Ya estábamos listos para pasar un gran verano gatuno.

Ocurre un hecho gracioso que consiste en que los primeros días en una casa nueva con tu gata debes tomar una decisión clave: dónde colocarás su cojín/cama.

Pero no iba a resultar tan fácil. Algo le ocurría a Mía, que estaba como rebelde. Decidió que su lugar preferido sería un sofá ochentero con estampado rojo de flores, pero no quiso especificar qué trozo exacto del sofá y, durante los siguientes días, se dedicó a empujar (literalmente) las diferentes piezas de las que se compone el mueble. Hasta que no terminó formando una especie de cueva, no paró. El cojín se lo coloqué en el suelo.

La primera semana cogió un rollo de papel higiénico, lo fue desenrollando y lo dejó hecho trizas. Había trozos de papel por toda la casa. Cuando descubrí el pastel y fui a reñirla, no pude. Me miró de una forma que me recordó a aquello que decía Freddie Mercury de su gata Delilah en la canción que le dedicó: «Te vas después de cometer el crimen, tan inocentemente».

Después le dio por el cable del teléfono. En Ribadesella, tenemos un teléfono de los de antes, de disco. No tiene línea, pero lo guardamos porque es un bonito recuerdo de otro tiempo. A Mía también le debió de parecer bonito, porque resiguió todo el cableado, que cruza la casa, y lo fue despegando del rodapié.

Otro día, el dios de los gatos me castigó. Estaba hablando con mi amiga Gloria en una verbena y, por alguna razón, la conversación giró hacia lo desastre que, en general, somos los hombres. Ella me preguntó: «¿Por qué nunca cerráis la tapa del váter después de usarlo?». Y yo, en una encendida defensa del gremio, le contesté: «¿Qué dices? Si yo siempre la cierro» (mentira cochina). Al llegar a casa pagué caro mi embuste. Antes de irme, había lanzado una servilleta, pero no había ni tirado de la cadena ni bajado la tapa. Mía había ido de pesca. Y había tenido suerte.

Otra cosa que le dio por hacer fue asomarse a las ventanas. Y el caso es que no me enteré porque yo la viera, sino que fueron los vecinos los que me informaron. Un día me crucé con el señor que vive en el piso cuya cocina da a la nuestra y me dijo: «Oye, qué gracioso tu gato, asomado a la ventana. Pero cuando me vio, se asustó». Y luego otra vecina del edificio de enfrente también me comentó que la había visto mirando por la ventana, la misma a la que un día nos asomamos los dos al oír a una gata en celo. Vimos un montón de cachorros y Mía me miraba como preguntándome: «¿Quién es esa gente?».

En la última semana de vacaciones, nos fuimos para Oviedo, a casa de mi madre. Y allí Mía estuvo rápida para apoderarse del sofá. Se subía todo el rato y se situaba al lado de la cabeza de mi madre, en una especie de lucha por el cetro familiar. A pesar de esa pequeña rencilla, parecía que se estaba comportando bien (creo que Mía disfruta más Oviedo que Ribadesella, porque tiene más espacio para correr y además mi madre pasa mucho tiempo en casa) hasta que, no sabemos por qué, se obsesionó con un bonsái. No ocurriría nada si no fuera porque pertenecía a mi difunto padre y constituye uno de los recuerdos que guardamos de él. Pero es que Mía, de alguna forma, debía de darse cuenta de aquello y cada vez que podía, le hincaba el diente. Que tampoco pasa nada, porque mi padre tenía mucho sentido del humor y seguramente se hubiera reído, pero vaya, que somos una casa seria.

Con algo de pena, regresamos a Madrid. Engañé a Mía

con un premio para que entrara en el transportín y pusimos rumbo a casa. Se vino quejando bastante y los primeros días estuvo un poco mohína, pero entraba dentro de la normalidad. A Mía, como a un servidor y como al clan Stark de *Juego de tronos,* le tira el norte.

Cat Hermano

«El gato es un viajero del tiempo del Antiguo Egipto. Vuelve cada vez que la hechicería o el estilo se ponen de moda».

CAMILLE PAGLIA

Una de las fantasías más recurrentes de los dueños de gatos (al menos de los que yo conozco) es colocar una cámara en su casa para poder observar qué sucede cuando se quedan solos al frente del hogar. En el fondo se trataría únicamente de recrearse en las maldades que uno constata que ha obrado a lo largo del día por medio de las señales que se aprecian a la vuelta (véanse restos del sofá por el suelo, pelos en la encimera u objetos caídos por el territorio).

Mía llegó a casa un domingo. Se pasó el día conmigo y no demostró tener mucho miedo. En cuanto entró, comenzó a caminar como si aquel fuera su hogar de toda la vida y decidió dormir en un hueco de una estantería de libros. El lunes, afortunadamente, tocaba ir a trabajar. Fue una sensación extraña. Iba a dejar mi casa en poder de un ser minúsculo al que había conocido veinticuatro horas antes y que se había pasado la noche metiéndose en todos los lugares posibles.

Descubrí entonces que es cierto aquello de que los gatos son limpísimos y que, por alguna extraña concatenación de ideas, saben desde el primer día que es en el arenero donde tienen que hacer sus necesidades; y también que se había despertado en mí un sentimiento que al principio consideraba como mera preocupación por la casa y que luego resultó ser instinto paternal: esa semana fue la primera y la única de mi vida en Madrid en la que me acerqué a comer a casa. Me agobiaba pensar en Mía tanto tiempo sola.

Por eso cuando leí la historia del *reality show* islandés *Keeping up with the Kattarshians,*[*] me quedé empantanado viéndolo (en horario de asueto, claro). El programa, emitido a través de una web que enfoca una casa de muñecas diseñada para cachorros de gato, se convirtió en un éxito que trascendió la isla para transformarse en un fenómeno global.

La página de Facebook del proyecto explica el origen: una gata fue encontrada poco antes de Navidad vagabundeando por Reikiavik. La llevaron a un refugio y se dieron cuenta de que estaba embarazada. Una señora que jamás había tenido gatos la adoptó y cuidó de ella y de la camada... hasta que la madre (la gata, se entiende) comenzó a cansarse de sus cachorros y empezó a preguntarles si no creían que iba siendo hora de que se independizaran.

Total, que regresaron todos al refugio, y sus responsables decidieron comenzar con el programa, y el programa se convirtió en un éxito (si tienen tiempo, véanlo, porque es un *sindiós* divertidísimo) y ahora resulta que ha logrado ser una especie de generador de adopciones de cachorros de

* http://kattarshians.tv/

gato. Con tres cámaras GoPro que emiten veinticuatro horas los siete días de la semana y un equipo de visión nocturna, esta especie de Cat Hermano está triunfando entre los aspirantes a *voyeurs* felinos, que somos muchos más de los que se podrían imaginar.

En la Red se pueden consultar algunos vídeos con los mejores momentos. E incluso sus productores han sido entrevistados por varios medios internacionales. En declaraciones a la BBC, Inga Lind Karlsdóttir, miembro del equipo de producción, resumió muy bien lo que significa convivir con un gato: «Son *encantadores* cuando se vuelven locos y destrozan la casa, aunque también aportan calma cuando los ves dormir. Es bueno para el alma».

Observar a una camada de gatitos actuar con naturalidad es hipnótico y adictivo. Me hacen una gracia que no puedo con ellos, porque practican el mal con una elegancia y una inocencia que facilita que se te escape la risa. Y cuando los veo pelearse, me acuerdo de todos los lectores del blog que me animan cada día a sumarle un compañero de juegos a Mía.

Esa decisión (la de incorporar otro gato) está, de momento, aparcada. Lo que sí he abandonado, y creo que de forma definitiva, es la tentación de colocar una cámara en casa. Ojos que no ven...

Del antiguo Egipto
a la conquista de Internet*

«Pero los gatos son autosuficientes. No necesitan personas para estar completos. Se encuentran más cómodos en completo aislamiento, sea en la naturaleza o en el mundo virtual. Puedes obtener una satisfacción similar mirando a un gato en un sofá cercano o desde un ordenador a un continente de distancia».

ABIGAIL TUCKER

¿Cómo han hecho los gatos para dominar el mundo? ¿Qué oscuras estrategias han utilizado para convertirse en las estrellas de Internet sin saber cómo navegar por Internet? ¿Por qué nos generan esa ternura cuando los vemos actuar, aunque estén cometiendo alguna maldad? ¿Cómo es posible que nos dominen y que hagan siempre lo que quieren, cuando quieren y como quieren? ¿A quién le entra en la cabeza que haya gatos multimillonarios? No se agobien: no existe explicación científica para el enigma que constituye el gato, que, a pesar de ser el primo pequeño del temido

---

* Capítulo basado en el libro *Un león en el sofá*, de Abigail Tucker.

león, ha terminado por conquistar el mundo. Solo los gatos domésticos superan los 600 millones, y en un día nacen más mininos en los Estados Unidos que leones hay en libertad. ¿Quién es el rey de los animales? Los gatos se adaptan a todo. De hecho, fueron ellos los que decidieron ser domesticados. Se acercaron a los humanos cuando estos comenzaron, hace más de 11.000 años, a almacenar comida en los graneros. Aquello resultaba muy práctico para ambos bandos, ya que los ratones se acercaban a los almacenes. Pero resulta curioso que fueron los únicos felinos que sacaron tajada de la nueva situación. Y lo lograron sin apenas cambiar su fisionomía. Al contrario de los perros, que han evolucionado de tal manera que resulta complicado definir su linaje, los gatos lo han hecho tan poco que es difícil, incluso para los científicos, distinguir un ejemplar salvaje de uno doméstico. Diferentes estudios indican que todos los gatos provienen de una única especie: el *Felis silvestris lybica*, originaria de Turquía, Irak e Israel. Y que fue su valentía, y no la cobardía de otras especies, lo que los empujó a introducirse en las casas de los humanos. No les valían las sobras, buscaban algo más. Además, no estaban dispuestos a ceder nada. Los gatos son, de hecho, los animales domésticos que más han tardado en presentar variaciones de color en su pelaje. Las primeras combinaciones de dos colores datan de hace cerca de 1.500 años. Lo cual, comparado con otras especies, es ayer por la noche.

Recientes estudios han constatado la influencia de la civilización egipcia en los gatos actuales. Se trataría de una segunda domesticación, tras la originaria en Oriente Próximo de hace 10.000 años. Ese detalle –el hecho de haber aprendido de una civilización tan inteligente y avanzada para su época– puede que explique de algún modo la superioridad moral con la que nos tratan.

En la Edad Media, el papa Gregorio IX emitió una bula papal que hablaba de aquelarres en los que Lucifer aparecía disfrazado de gato negro. Y para qué queremos más: se extendió por Europa un antifelinismo bajo la sospecha de brujería de los animales. En la carta, por cierto, se citaba también a patos y ranas, aunque no sufrieron la misma persecución. ¿Cómo va a hacer un pato brujería? ¿Y una rana? Porque es verdad que a un gato te lo imaginas perpetrando cualquier fechoría posible. Hay quienes sostienen que básicamente se trataba de la incidencia de la alergia a los gatos. Por aquel entonces, los mataban. Hoy, tu novia puede dejarte, pero el minino sobrevivirá. Nuevo punto para los gatos.

Si no sirven para nada útil, si durante años fueron perseguidos, si generan alergias y, además, su domesticación es de aquella manera, ¿por qué nos gustan los gatos? El austriaco Konrad Lorenz, premio Nobel de Medicina, hablaba de los «liberadores bebé», que son rasgos que nos recuerdan a las crías humanas y que provocan una reacción hormonal en nosotros. Abigail Tucker sugiere que el tamaño y la posición de los ojos de los gatos, parecidos en los humanos, juegan a su favor, así como su tamaño y una supuesta capacidad para modular sus maullidos, haciéndolos cada vez más similares al llanto de un bebé humano.

Están en todo el mundo porque se amoldan a todo. Viajaban a bordo de barcos con la tarea de acabar con los roedores y, como no les hace falta beber mucho, aguantaban largos viajes.

No son exquisitos con la comida (salvo los que tenemos en casa, que son capaces de distinguir un pavo fresco de uno que lleva días en la nevera, y que rechazan este último porque saben que el fresco volverá). Y se adaptan mejor que otros animales. Un estudio demostró que habían contribuido a la desaparición de un 14 % de los vertebrados en islas de todo el mundo. Los científicos llaman a los gatos domésticos «depredadores subvencionados». El proyecto Kitty Cams de la Universidad de Georgia evidenció que, por muy alimentados y cuidados que estén, nunca dejan de lado su instinto.

Y son muy hábiles con la reproducción. Según Tucker, una pareja de gatos puede producir 354.294 descendientes en cinco años. El cálculo, obviamente, se basa en ciclos perfectos, difíciles de conseguir, pero constituye una muestra evidente de su capacidad reproductiva. Además, aprenden a cazar ya desde pequeños (sí, desde ese mismo momento en el que lo monos que son nos atrae sin remedio).

Hay quienes sostienen, incluso, que la temida toxoplasmosis podría estar detrás de esta extraña pasión que algunos humanos demostramos por los gatos. Según esa teoría, el parásito sería capaz de infiltrarse en nuestro cerebro, moldeando nuestra relación con los felinos. En su favor, claro.

Eso explicaría que, como han demostrado varios estudios, sean capaces de reconocer nuestra voz pero nos ignoren, y nosotros no le demos importancia; o que no queramos aceptar que nuestra relación sigue siendo la misma que comenzó hace miles de años: les ofrecemos comida y bienestar. Y ahí acaba nuestro acuerdo. Los estudios demuestran que la mayoría de los gatos no tienen como razón de ser su amistad con los humanos y que, en un entorno

que no conocen, jugarán con cualquiera y no necesariamente con su amo.

Tampoco son animales especialmente indicados para la
cría (salvo algunas excepciones). Existen en torno a 50 razas
(hay más de 200 de perro) y, por poner un ejemplo, en uno
de los primeros concursos felinos de la historia, el ganador
fue un lémur de cola anillada. Igual que se dio por perdida la
posibilidad de domesticarlos, la opción de generar purasan-
gres tampoco caló. Al contrario que en los perros, era difícil
definir para qué se deseaba engendrar cada raza de gatos.
(Recordemos su aparente inutilidad en el hogar). Algunos
trabajan creando razas artificiales, muchas veces a partir de
accidentes genéticos o coincidencias, pero los científicos te-
men que sean estirpes que carecen de la principal característica felina: su capacidad para sobrevivir; una supervivencia
que han extendido a Internet. Sin necesidad de manejar un
ordenador o una red social, los gatos se han convertido en
una referencia de los tiempos que vivimos. Se han reprodu-
cido en la Red igual que lo han hecho en el planeta: conquis-
tando todos los rincones. No son los únicos animales que
aparecen en el mundo digital, pero sí los más virales. Según
los datos de BuzzFeed, las noticias más populares sobre gatos cuadruplican en visitas a las más populares sobre perros.
Como afirmaba el periodista Jack Shepherd en una columna
en *The Guardian*: «Cuando un perro aparece con un sombre-
ro, da la impresión de estar tratando de impresionarte. Si lo
hace un gato, parece que lo hace porque le da la gana, con
estilo, sin esfuerzo y sin preocuparle en absoluto lo que piensas de él». Y asegura que, para los dueños de gatos, Internet
es el parque al que no podemos llevarlos.

También se alega que influyen su resistencia y su dignidad ante las caídas o accidentes. Por eso aguantan más que otros animales como tendencia. Ya lo apuntó Orson Wells: «Si eres un gato, no puedes permitir que se rían de ti. Por ello, si caes, tiene que parecer que realmente querías caer para ver qué hay debajo del sofá». Esa es la actitud que nos engancha. Y también su independencia y sus dotes cazadoras. Sus reacciones son perfectas para atraernos: una carrera repentina, un zarpazo inesperado, una huida a toda velocidad... Su rostro, como ya hemos dicho, nos refiere a nuestra humanidad y, al mismo tiempo, permanece impertérrito ante lo que acontece a su alrededor. Y algunos tienen incluso expresiones de alegría, enfado o de anticipo de una maléfica acción felina. En resumen: que son un caramelo para el mundo líquido e irónico de internet.

Examinando la cuestión con un poco de perspectiva, uno no sabe si reír o llorar ante tal demostración de poder colonizador. Si han logrado todo esto sin apenas hacer concesiones, mejor no imaginar lo que puede estar por llegar con un poco de evolución.

Mientras tecleo estas últimas líneas, Mía se ha desperezado y ha comenzado a mirarme con cierta desconfianza. Tal vez sepa lo que estoy escribiendo. Aun así, no puedo dejar de pensar en el día en que llegó a casa. Ni tan siquiera hizo falta que fuera a buscarla. Apareció de repente y se quedó para siempre. Ella ya sabía que venía a quedarse y que haría lo que quisiera conmigo. Así se coloniza un planeta. Con instinto y decisión. A mí me ha hecho falta leer tropecientos libros de gatos para darme cuenta de que me habían colonizado. Este truco se lo enseñaron los egipcios. Seguro.

Gatos famosos

«Un gato solo es un gato, pero Saha es Saha».

COLETTE. *La gata*

En casa de mis padres implantamos una extraña tradición: todo aquel miembro de la familia que viajara a Inglaterra tenía que traer de vuelta una taza de *Garfield*. Prácticamente todas las tazas que teníamos mostraban al displicente y altivo gato aseverando que odiaba los lunes, que hacer deporte era una vulgaridad o que *Odie*, el perro con el que convivía, era tonto. Pero era el único gato para el que mirábamos. *Tom* nos parecía un inútil, todo el día persiguiendo a *Jerry* sin éxito. Y *Silvestre* irritaba a cualquiera, aunque no por su culpa, sino por la voz de doblaje que le habían puesto y que le hacían parecer todavía más inútil de lo que era. *Silvestre Jr.* al menos tenía la gracia de ser un cachorro. Estaba *Bola de Nieve*, de los Simpson y, en la misma serie, *Rasca* o *Pica* (no sé cuál de los dos es el gato). Para ejemplificar mi relación histórica con mininos célebres baste esta confesión: no descubrí que *Hello Kitty* era una gata hasta que empecé a leer sobre el tema. Llegados a este punto, entiendo que no necesitaré explicar lo que sabía de *Doraemon*, ¿no? Pues eso.

Pero claro, cuando adoptas un gato, lo quieras o no, te vas introduciendo en el mundillo. Y de repente llega un día en el que, sin darte cuenta, todas las fotos y todos los vídeos que aparecen en tu Instagram son de mininos, y te preguntas «¿Cómo puede ser?». Pues muy sencillo: porque has ido dando al botón de «Seguir» a todas las cuentas que han ido apareciendo y porque los algoritmos de recomendación te recomiendan, curiosamente, aquello que más visitas. Y lo que más visitas, desengáñate, son perfiles de gatos. Que es tu culpa, vaya.

Los gatos famosos de hoy en día son auténticas estrellas, con cuentas con millones de seguidores en diferentes redes sociales. Algunos son multimillonarios. Y no son dibujos. Son reales. Su vida se retransmite prácticamente en directo, y sus incondicionales les envían cartas y compran todo tipo de productos de *merchandising* en los que aparece impresa su cara.

Nala, una mezcla de siamés y atigrado adoptada de un refugio, cuenta con 3,5 millones de seguidores en Instagram. Es una marca registrada y en su web puedes encontrar calcetines, pajaritas o rascadores. A Grumpy Cat [Gato Gruñón] lo siguen 2,4 millones de admiradores. Es un gato cuyo principal mérito es tener cara de mala leche, lo cual es bastante gracioso, porque da igual que lo disfraces de vampiro o que lo pongas a posar junto a un montón de latas de comida que una marca le ha enviado. Él siempre parecerá enfadado, porque tiene cara de señor mayor cabreado. Hamilton es el gato hípster. La genética ha querido que un perfecto bigote blanco aparezca sobre su pelaje gris oscuro.

Muchos gatos famosos lo son pese, o gracias, a algún defecto físico. Lil BUB es una gata con numerosos problemas físicos. Sufre cierta forma de enanismo. Por un defecto en su mandíbula, aparece siempre con la lengua fuera, por lo que su gesto se asemeja al de una permanente sonrisa. Cuenta con 1,7 millones de seguidores en Instagram. Loki no llega a tanto, pero también tiene su público. ¿El motivo? Que nació con dos colmillos muy desarrollados y parece una especie de minidientes de sable contemporáneo. Recuerda a una fiera, pero es muy tierno. Oskar es un gato ciego que tiene más de 400.000 seguidores. Vive en pareja con Klaus, otro felino que ejerce de guía.

El gato Suki es canadiense. Sus dueños lo llevan consigo a todas sus excursiones, y por este motivo se ha convertido en el gato aventurero. Atado con una correa o suelto, lo hemos visto paseando por la nieve, posando ante preciosos acantilados o metiendo las zarpas en el agua mientras navega sobre una lancha.

En otras ocasiones, los dueños alcanzan la fama junto con sus gatos. Es el caso de la cuenta del turco Sarper Duman, repleta de vídeos del dueño tocando el piano con el que debe de ser el gato más melómano del mundo estirándose una y otra vez para restregar su cabeza contra la barba humana. Y cerrando los ojos mientras escucha la música, claro.

Hay un gato que parece un tigre, pero que, en realidad, es un gato. Se llama Catstradamus y, aunque «solo» tiene 175.000 seguidores, es un caso peculiar, ya que se trata de un maine coon de trece kilos de peso y de un tamaño más que considerable. Cuando aparece en brazos de su dueño, con el cuerpo extendido, parece un niño de cinco o seis años.

Uno de mis preferidos es el gato Larry, responsable de la caza de ratones en la casa del primer ministro inglés, en el número 10 de Downing Street. Hay una imagen suya que es maravillosa. En ella, aparece junto a un cartel con indicaciones para la prensa. Debajo de la imagen, el propietario de la cuenta escribió: «Los periodistas deben permanecer detrás de las vallas. Los gatos pueden ir adonde les dé la gana».

Durante el mandato de Bill Clinton, en la Casa Blanca se hizo famoso un gato negro y blanco llamado Calcetines (¿adivinan por qué?). El minino era el rey del mundo. Se hacía fotos sentado en el despacho oval y se paseaba por la residencia presidencial como si él fuera el presidente. Dicen que tenía amargado a Buddy, el perro de la familia. Sus continuas peleas obligaron a una exsecretaria de estado a llevarse el gato a su casa. Calcetines murió en 2009, con casi veinte años. Fue un 20 de febrero, y por eso en esa fecha precisa se celebra el Día Internacional del Gato.

Una enfermera gatuna

«El ideal de la calma es un gato sentado».

JEAN RENARD

Celebré el festivo del 12 de octubre de 2017 rompiéndome el ligamento cruzado anterior de la pierna izquierda. No sé si eso es muy patriótico o todo lo contrario; que cada uno lo interprete como le interese. La lesión se produjo jugando al fútbol y, si me van a decir que a los 36 años no tengo edad para el balompié, que sepan que, en el momento en que estén leyendo esto, ya me lo habrán dicho unas quinientas personas.

A la espera de que me bajara la hinchazón para poder ir a realizar las pruebas médicas, me pasé el fin de semana tumbado en casa, con hielo encima de la rodilla. Y claro, no había nada más apetecible para Mía que investigar aquellas extrañas bolsas de plástico de las que emanaba frío. En una ocasión, llegó a introducir tanto su cabeza que al salir corriendo se la llevó puesta, dejando una escena de una bolsa amarilla de los supermercados Covirán trotando por la casa con un cuerpo felino detrás. Con el susto y el agobio que llevaba, era imposible quitársela. Y les recuerdo que un servidor iba con muletas.

Días después fui a hacer la resonancia magnética y se confirmó la lesión. Me disgusté bastante, la verdad. Me encanta el deporte y la perspectiva de varios meses sin catarlo me entristecía mucho. Al llegar a casa, me puse a llorar (lo siento, Miguel Bosé), y Mía vino corriendo hasta el sofá. Al abrir las manos, que me tapaban los ojos (si te lesionas como un futbolista, lloras como un futbolista), lo primero que vi fue su lengua dándome lametazos. Y tuve que reírme, claro.

Por la noche apenas pude dormir. Mía, normalmente, me visita un rato a medianoche. A veces se pone sobre mi pecho y se tiende unos minutos sobre mí. En esa ocasión, reparando en que no dejaba de dar vueltas, se la pasó entera conmigo. No se separó de mi pecho y, cada poco, me ponía la zarpa en la cara. Fue lo más bonito del día.

Después de la operación, regresé a casa hecho un cuadro. No me manejaba con las muletas y apenas me podía mover. Menos mal que mi hermana Marisa se vino unos días a Madrid y me cuidó como un rey. Mía y ella no se entienden muy bien, o más bien mi hermana se hace respetar y eso a Mía no le hace ninguna gracia. No le consiente ni media, y claro, a mi gata, que está objetivamente bastante mimada y se comporta en todo momento como le da la gana, pues le choca.

Cuando mi hermana salía a dar un paseo, Mía retomaba el mando de la casa. Se acercaba a mí y se subía sobre mi pierna izquierda. Primero husmeaba la venda, después recorría la extremidad de arriba abajo y, finalmente, se tumbaba sobre el muslo y empezaba a ronronear.

Nada más salir de la operación, publiqué una foto en mis perfiles de redes sociales (en plan futbolista, con el dedo en alto y tal, pero con un peinado normal). Y resultó muy curioso que, en los mensajes, mucha gente me preguntara quién iba a cuidar ahora de Mía. ¡Pero si el que estaba lesionado era yo!

En uno de los comentarios, Vero, mi televeterinaria, apuntó la posibilidad de que Mía supiera perfectamente lo que estaba haciendo y que estuviera recurriendo a lo que se conoce como «ronroneo terapéutico». Diversos estudios demuestran que la frecuencia del ronroneo es la misma que la empleada en algunas tecnologías para sanar fracturas óseas y lesiones musculares, aunque no está demostrado que el ronroneo gatuno sea aplicable al ser humano. Pero ya fuera el efecto placebo o el cariño, a mí me tranquilizaba tenerla ahí conmigo. Lo que sí es cierto es que Mía estaba mucho más cariñosa. Desde hacía unas semanas no se subía a dormir en el sofá a mis pies y aquella semana volvió a hacerlo. Se ponía al lado de las muletas (ya es complicado conseguir dormir metida en la agarradera de una muleta; pues ella lo logró), controlaba el termómetro y, cada vez que me tenía que pinchar la bemiparina, aparecía de cualquier lugar para seguir con atención el proceso.

Pero no vayan a pensar que dejó por algún momento su actitud felina a un lado. Cuando me levantaba para ir al baño, seguía mi lento caminar sin apartar la vista de las muletas. Le llamaban muchísimo la atención y miraba cómo diciendo «Pero ¿qué diablos es esto?». Aun así, en ningún momento en el que su cola se cruzó en mi trayecto se dignó a retirarla, no fuera yo a pensar que estaba cediendo terreno. Y cuando a veces tenía que hacer piruetas dignas del Circo del Sol para alcanzar un objeto que se me había caído o para ponerme un pantalón, ella seguía con detenimiento y con cierta condescendencia mis torpes movimientos.

Además, continuaba obsesionada con el hielo. Cada vez que dejaba en el fregadero alguna de las bolsas que había utilizado para disminuir la protuberancia provocada por la operación, allá se iba ella, a abrir la bolsa y chapotear. ¿Adivinan adónde iba inmediatamente después? Efectivamente, al arenero. A llenarse las húmedas zarpas de piedrecitas y a distribuirlas equitativamente por toda la casa.

También descubrió las ventajas de mi lentitud a la hora de moverme. La muy bribona lo captó a la primera. Si me servía un vaso de leche, sabía que el proceso entre verterlo y beberlo no sería el habitual y, claro, aprovechaba. Desde que me operaron hasta que comencé a moverme con normalidad, no hubo tazón en el que no metiera la zarpa. Y todo para nada, porque en realidad no le gusta, pero notaba su cara de satisfacción cada vez que la amonestaba («¡Mía, no!») y ella me respondía con una mirada de «¿Qué dices, *pringao?*».

A veces, cuando nos quedábamos solos, me entraban ganas de poder decirle «Mía, tráeme una galleta» (que es la típica orden que siempre se sueña con dar, ¿no?). Sin embargo, la capacidad terapéutica felina, de existir, no llega tan lejos como los humanos quisiéramos. Y lo peor es que, con casi toda probabilidad, es porque a ellos (a los gatos, se entiende) no les da la gana.

Mía a la fuga

«Los gatos no desean estar de ningún lado de la puerta en particular, ni del patio ni del jardín; quieren y, es más, exigen que la puerta esté entreabierta. Y pobres de nosotros si no accedemos a sus peticiones».

STÉPHANIE HOCHET

Cuando aún me encontraba convaleciente de mi lesión de rodilla, mi amigo Luis solía venir a desayunar a casa. Me hacía compañía y, además, traía cruasanes y bollos suizos de La Mallorquina. Como levantarme y estar de pie me fatigaba, una vez que le abría a través del telefonillo, dejaba la puerta entornada de tal manera que Mía no pudiera salir. A pesar de que hacemos deporte todos los días, no ha conseguido desarrollar la fuerza suficiente para mover una de esas puertas antiguas que pesa un quintal.

Un día, mientras estábamos desayunando, me di cuenta de que hacía mucho que no veía a Mía. No había aparecido por la mesa ni nos habíamos cruzado en esos paseos que dan los gatos en los que parece que están solos en casa, porque ni te dirigen la mirada.

Como soy bastante agonías, no me agobié mucho. Sé que

suena un poco contradictorio, pero de tanto preocuparme por Mía, me preocupo menos cuando me preocupo (yo ya me entiendo). Les recuerdo que, por alguna razón, considero que los gatos tienen poderes mágicos y que esa creencia me hace imaginarlos capaces de traspasar puertas y paredes sin esfuerzo. Lo que quiero decir es que las veces que estoy en casa y hace rato que no veo a Mía, me levanto a coger un premio y ofrecérselo para que aparezca. Mi sentido común me dice que dónde va a estar la gata si no hay ninguna salida posible, pero como con estos animales nunca se sabe... Creo, además, que Mía lo ha pillado y ahora cuando quiere un premio se esconde un rato.

Llamé a Mía y no apareció. Fui al armario de los premios y esparcí algunos por la casa. Normalmente aparece a la carrera, chocándose con todo, en cuanto los oye caer al suelo. Nada. Abrí algunos armarios, porque a veces se introduce en el interior y la dejo encerrada sin querer. Tampoco. Abrí la puerta de la calle, y no estaba en el descansillo. Le pedí a Luis que bajara hasta el portal, porque lo que más me preocupaba (en ese momento sí estaba realmente preocupado) era que saliera a la calle. Nada.

(Un breve inciso: no es que Luis fuera mi *sherpa*, es que apenas podía moverme). Le pedí entonces que subiera al piso de arriba y cuando le oí decir «¡Aquí está!», sentí ese alivio que se experimenta cuando todos los temores se desvanecen en un segundo y de repente aparece en la barriga una especie de tranquilidad aderezada con felicidad.

El pobre Luis, que es alérgico a los gatos, tuvo que cogerla y meterla en casa. Yo le daba órdenes desde abajo:

—Agárrala por la barriga. Mete la mano por debajo.

–¿No será mejor que la coja como lo hacen sus madres? Me sorprendió bastante ese comentario tan profesional y tan poco alérgico, por lo que solo pude contestar:

–Cógela como tú quieras.

Al parecer, Mía estaba tan tranquila en el rellano del cuarto, lugar hasta donde suele subir cada vez que se escapa de casa. Estaba sentada y, siempre según el testimonio de Luis, no emitía ninguna señal de nerviosismo o de echarme de menos. Pero claro, siendo alérgico, ¿qué sabrá él?

Cuando tienes un gato, empatizas con el resto de los dueños de gatos del mundo. Y si ves que uno se ha perdido o que le ha pasado algo, te preocupas por ellos. Y lo haces de forma honesta, porque sabes que podría ser el tuyo.

Tengo un pánico atroz a que Mía se escape un día de casa y no me percate. Me la imagino sola en la calle y me entran ganas de llorar. Me pregunto si sabría regresar a casa, dónde se metería, qué comería, si alguien sería capaz de identificar que no es una gata callejera, si ese alguien que se la encontrara advertiría que lleva chip o tendría la cabeza suficiente como para dirigirse a un veterinario. A veces incluso me he planteado proponer a la comunidad de vecinos la elaboración de un censo de mascotas, para que si vemos a alguna por ahí danzando, sepamos que pertenece a alguien del edificio.

En esos mismos días de convalecencia, mi hermana se vino unos días a Madrid. Una noche, bajó a dar una vuelta y al poco rato me envío una foto de un cartel en el que aparecía un gato que se había perdido por el barrio. Decía lo siguiente: «Mi amor perdido. Perdido en la zona de La Latina. Si lo ves, llama por favor al XXXXXXXXX. Responde mejor en valenciano».

Me puse triste, como cada vez que veo algo así, y empecé a atosigarla a mensajes:

«Ay, pobre gatín...».

«¿Cómo lo perdieron?».

«¿Tú sabes valenciano? Por si te lo encuentras...».

«Madre, vaya mal rato que estarán pasando».

Cinco minutos después, mi hermana me contestó:

«Pero ¡que es el cartel de una película que están rodando en la plaza!».

Le agradecí que obviara mis comentarios. Y le comuniqué que no iría a ver la película, por mucho que apareciera el edificio en el que vivo. Que ya incluye la vida bastantes dramas gatunos. Como para ir a sufrir por otro de forma gratuita.

¿Saben los gatos que es Navidad?

«Los gatos nunca escuchan, son confiables en ese sentido. Cuando Roma ardía, los gatos del emperador todavía esperaban ser alimentados a tiempo».

SEANAN MCGUIRE

Hace muchos años, cuando todavía salía por la noche (en la Edad de Piedra, más o menos), volvía de una fiesta en Oviedo con Miguel, mi mejor amigo. Eran los días de Navidad y la fiesta era la típica del pijerío rancio ovetense, del que tan orgullosamente formo parte. Es decir, que íbamos de traje. De camino hacia el barrio antiguo (fíjense si hace tiempo que después de la fiesta todavía nos quedaban fuerzas para ir a otro bar) hicimos una parada técnica en el parque de San Francisco. Sí, han acertado: necesitábamos hacer pis.

Ya saben que los hombres no solemos hablar de nuestras cosas. Que nos cuesta sacar temas serios de conversación y hablar de nuestros problemas, vaya. Es otra de las numerosas cosas en las que nos aventajan las mujeres. Como decía uno de los personajes de *Cuatro amigos*, de David Trueba, somos más de pensar eso de que «yo a mis amigos no les cuento mis problemas, que los divierta su puta madre». En

Una pistola en cada mano, película dirigida por Cesc Gay, pueden encontrar, si les interesa el tema, un tratado sobre esto.

Pero a lo que vamos, que me lío. En un momento de la micción, mi amigo Miguel tuvo un arranque de profundidad inusitado e inesperado. Allí estábamos los dos, con los pies en paralelo, hablando de pijadas y con la vista puesta al frente, cuando de repente sucedió: «¿Tú crees que los patos saben que es Navidad?», me espetó. Y yo, que no estaba preparado para afrontar semejante cuestión, me quedé sin palabras. Si lo piensan, es una pregunta que roza lo filosófico.

Las cosas han cambiado mucho desde entonces. Hoy, muchos años después, cuando ya casi no salgo y, si salgo, se lo cuento a todo el mundo como si fuera un héroe, soy dueño de una gata. Y la pregunta sobre sus sentimientos en Navidad me parece más que pertinente.

En el primer año con Mía, tuve dudas sobre si llevarla o no conmigo. Esa duda se solucionó cuando, durante unos segundos, me la imaginé sola en Madrid el día de Nochebuena, mirando por la ventana cómo pasaba gente con gorros de Papa Noel por la calle y oteando en las ventanas de los edificios de enfrente a familias unidas en plena cena. Así que se vino conmigo. Y me alegro mucho de que así fuera. Daba por hecho que ella sí sabe que es Navidad, y que le entraría la melancolía si la pasaba sola.

El caso es que el segundo año, en todas las comidas familiares, surgió el tema de los sentimientos animales en Navidad, aumentado por el hecho de que Milo, un perro, se había sumado a la familia de mi hermano. Al perro, la verdad, parece que estas fechas sí que le afectan un poco: no paró de saltar durante toda la noche intentando alcanzar la mesa. No he visto nunca nada parecido. De repente, su cabeza se asomaba y volvía a desaparecer para volverse a asomar. Hubiera jurado que rebotaba sobre una cama elástica (que se podría llamar Elasticán, me parto). Sin embargo, todavía es un cachorro, así que habrá que esperar a las próximas fiestas para dilucidar sus sentimientos.

(Un inciso: he pensando mucho en una hipotética batalla entre Milo y Mía y creo que Mía ganaría. Veo a Milo más inocente, y a Mía, más resabiada. Pero no me tengan muy en cuenta estos pensamientos, por favor).

(Otro inciso: obviamente le he planteado a mi madre la pregunta obligatoria: «¿A quién prefieres, a Milo o a Mía?» Mía 1 Milo 0).

Volviendo al tema y en lo que respecta a Mía, diría que, más que darse cuenta de que es Navidad, se percata de que flotan más nervios y sentimiento a su alrededor. Y los animales no son tontos. De hecho, tienen el instinto muy desarrollado. Supongo que también percibirán que algunos de sus dueños les damos un poco más de comida o algún premio extra, porque, en el fondo, es a nosotros a quienes más ilusión nos hace que compartan los sentimientos, sean los que sean.

Ayer, mientras veía por enésima vez *Love Actually*, Mía me observó con cara extraña al verme llorar como un niño. Se había tumbado a mis pies en el sofá. Levantó la vista y me miró con displicencia. Parecía estar diciéndome: «Mira, era lo que me faltaba». Cerró los ojos y se acurrucó para seguir durmiendo. Navidad sí; tonterías, las justas.

La segunda Navidad juntos

«Si un gato hablara, seguramente no dudaría en mentir».

ROY BLOUNT JR.

Mía tiene ya casi dos años y le hace menos gracia viajar que cuando era un bebé. Como a todos los padres del mundo, me da pena que se haga mayor, pero es lo que hay. Antes de salir hacia Oviedo a pasar nuestra segunda Navidad juntos, me costó Dios y ayuda introducirla en el transportín. Mantuvo durante todo el trayecto una curiosa cara de enfado y al llegar a casa de mi madre, no quería salir. Para rematar la faena, me había olvidado el Feliway, así que la pobre terminó aquella primera noche haciéndose pis en el suelo.

Como la persona que trabaja en casa de mi madre sufre alergia a los gatos, antes de la visita tuve que negociar con mi progenitora una especie de entente cordial según la cual Mía no podría entrar en la cocina. Pero claro, no existe cosa más atractiva para un gato que el hecho de que le prohíban ir a algún sitio. Y más si ese sitio se encuentra tras una puerta cerrada. Estaba a punto de comenzar el ataque de mi gata a «la puerta prohibida».

Al principio se lo tomó con cierta naturalidad. Ella veía que la puerta se cerraba siempre detrás de cada persona, pero como era un entrar y salir constante, tampoco parecía importarle mucho. Pero, ay, amigos, llegaba la hora de la comida y de la cena y entonces, ya sí, aquello no se podía tolerar. Oía perfectamente cómo maullaba al otro lado y rascaba la madera con sus zarpas. Si me acercaba, se enderezaba sobre las patas traseras y se asomaba al cristal de la puerta poniendo un poco la cara del gato de *Shrek*, con ojos de «¿De verdad me vas a dejar aquí fuera?». No sé qué pensaba que estaríamos diciendo, pero juro que no la criticábamos y que los temas tampoco eran tan interesantes como podía parecer desde el otro lado de la puerta.

Como tengo una madre de 77 años muy moderna, se fue a pasar, como la mayor parte de los hípsters de Europa, la Nochevieja a Lisboa con dos de sus hermanas (Marinieves y Chelo) y una prima (Marichu). Antes de partir, y a modo de Santo Grial, me legó una orden: «Que Mía no entre en la cocina». Prometo que intenté cumplir, pero la gata fue más lista que yo. Eso sí, le llevó varios días.

Al principio, como soy un blando, Mía daba por hecho que, sin la jefa de la casa, aquello sería coser y cantar (actividades que, por otro lado, me parecen bastante complicadas, pero eso es otra historia). Como dice el dicho, cuando el gato se va, los ratones se ponen contentos (mi madre sería el gato y Mía, el ratón, por si no lo habían pillado). Mía lo intentaba sin disimulo alguno. Se ponía junto a la puerta y, tan pronto como se abría, intentaba colarse. Al ver que no funcionaba, comenzó a esconderse detrás de una cómoda. Esperaba a ver si te olvidabas de cerrar la puerta. Pero tampoco. Utilizó entonces la más sutil de las artimañas: hacía como que le daba igual la puerta, y se paseaba por allí como si nada. Solo le faltaba silbar. No tuvo suerte. Y ya por fin, recurrió a su última bala, que me impresionó bastante, la verdad. ¿Recuerdan el juego aquel en el que alguien se pone a contar con los ojos cerrados y el resto de los participantes avanzan hasta que los abre de nuevo y todo el mundo tiene que quedarse parado y el que se mueve pierde? Pues Mía se dedicó los últimos días de vacaciones a jugar a eso. Al final, como es más lista que un rayo, consiguió entrar alguna vez, pero tampoco le gustó mucho lo que encontró. Fue una buena gestión de las expectativas por parte de la familia Zuazua.

Pero claro, Mía es un gato, y los gatos la lían. De todos los colores. En cualquier momento. En cuanto mi madre partió de viaje, se hizo con su sillón. Fue automático. No había atravesado el umbral de la puerta y ya estaba allí repantingada. Hasta ese día, en una clara pelea de gatas, Mía se había tumbado sobre la parte superior, dando lugar a una cómica escena en la que, los días en que mi madre acababa de llegar de la peluquería, tocaba su pelo de forma repetida. Si lo emitieran, sería el típico vídeo en el que ponen un efecto sonoro con cada zarpazo. Unas horas más tarde, volvió a obsesionarse con el bonsái de mi difunto padre. No sé qué le pasa a esta gata con esa planta, pero es verla y ponerse a morder sus ramas. Como se lo quitamos, fue a por el resto de las plantas. Después de un buen rato mordiendo de todo, me di cuenta de que tenía el comedero vacío. Otro día comenzó a jugar con las cortinas del salón. En un momento de su aventura, se lanzó a lo Tarzán y quedó suspendida en el aire. Indecisa entre trepar o bajar, me miraba con cara de

«¿Qué hago?». El resultado fue un buen desgarro en la tela. (Perdón, mamá). A la mañana siguiente centró su atención en un armario lleno de papeles. No me pregunten cómo, pero consiguió abrirlo ¡a base de empujar la puerta hacia dentro! (¡que el armario se abre hacia afuera!). Allí hurgó entre todos los documentos que quiso y durmió siestas, pero quedaba claro que no era suficiente. Se encaprichó entonces con otro armario. Tras conseguir abrirlo, se encontró con varios cajones cerrados, y ahí ya no supo qué hacer. Porque si lo piensan bien, tampoco tiene mucho sentido una puerta de armario que dé a unos cajones.

Cuando me echaba a ver la tele en el sofá, ella venía y se acurrucaba junto a mis pies, pero echaba el culo hacia atrás, de tal manera que mi única opción era colocarme de costado o dejarla en medio de mis piernas. No había forma de ponerme a mis anchas. Al final, tuve que recostarme de lado. Ella también estaba incómoda (se le notaba), pero había ganado la batalla. Y con eso le valía.

Una noche, al regresar a casa, me encontré varios trozos de plástico azul por el suelo. Eran los restos de mi gorro de piscina. Mía lo había sacado de la mochila. Me dejó claro que los prefiere de tela.

El día de Reyes, ya con mi madre de vuelta, escuché un grito: «¡Ay, ay, ay!». Pensé que le estaba dando algo a alguien. Pero no. Era ella, que estaba viendo cómo Mía se paseaba por la mesa del desayuno que con tanto cariño había preparado.

La verdad es que, con todo esto, resulta bastante lógico que los Reyes Magos le trajeran, además de un pequeño rascador con forma de pez, un saco de carbón. Eso sí, a Mía no le hizo ninguna gracia. Pero ni pizca, ¿eh? Se pasó el día con la misma cara de cabreo que tenía en el viaje. Nadie la había avisado de que los Reyes la estaban vigilando. Veréis la que les espera el próximo año.

¿Tengo una gata gorda?

«Los gatos con gracia tolerarán a los seres humanos
hasta que alguien invente un abrelatas que pueda ser
operado con una pata».

TERRY PRATCHETT

Cuando Mía llegó a casa era un ser escuchimizado y casi raquítico. Al echar un ojo a las fotos de nuestros primeros días juntos, casi que me da hasta pena al verla: delgada, con los pelos medio erizados y una cola inmensa que era casi tan grande como ella. Constituía su tercer hogar en sus primeros dos meses de vida, y tanto cambio la tenía un poco descolocada. Tal vez por eso cuando entró en casa lo hizo con una convicción que en realidad podría ser cansancio. Como si dijera: «Mira, me da igual lo que pienses, estoy hasta las narices de ir de aquí para allá. Me quedo. Y punto».

Al principio, como buen padre primerizo, le llenaba el comedero hasta arriba. Por un lado no quería que pensara que iba a volver a pasar hambre en su vida y, por otro, como estoy mucho tiempo fuera de casa y desconocía (y sigo desconociendo) el tamaño del apetito felino, me curaba en salud. Después de consultarlo con varias veterinarias descubrí que mi táctica inicial era la correcta, ya que en sus primeros meses de vida a los gatos se los alimenta *ad libitum* (es decir, a placer, que de algo me tenía que servir haber escogido latín y griego en el colegio y dejar las matemáticas. ¿Lo ves, mamá, cómo servía para algo?).

Sin embargo, después de haber sido castrada, y tras cambiar su pienso por uno específico, un amigo me dijo que encontraba a la gata un poco fondona. Decidí entonces que tenía que hacer ejercicio (la gata, no yo). Me compré en Zooplus una pluma (en realidad tres, porque estaban de oferta) y todos los días jugábamos media hora. Ella echaba carreras por la casa persiguiendo el juguete y cuando ya estaba cansada, se tumbaba boca arriba y me obligaba a depositarle la pluma encima de la tripa para que pudiera destrozarla cómodamente.

Tras la esterilización, mis veterinarias me advirtieron de que cabía la posibilidad de que engordara un poco y la grasa se acumulara en la parte abdominal. Por lo visto, Mía tenía tendencia a engordar. No voy a esconder que me hizo un poco de ilusión, ya que siempre he tenido una especie de segunda barriga a lo Homer Simpson (a pesar de que hago deporte seis días a la semana), y el hecho de que mi gata se pareciera a mí en ese aspecto implicaba cierto orgullo de padre.

Pero, claro, me pidieron que controlara cada día la comida que le servía en el comedero, que tenía que ser una cantidad que, agárrense, aparece marcada en las bolsas de comida. ¿Ustedes lo sabían? Yo me enteré al año y medio de tener gato. También descubrí que existen vasos de medida. Y, por supuesto, que estaba malcriando a Mía con la alimentación. Es decir, era el típico padre que, además de las comidas normales, le ofrece a su hijo toda la bollería industrial y golosinas del mundo. Porque además de la comida, están los premios y el pavo. Y por la noche, después del deporte, le sirvo una cucharada de comida húmeda.

«Esta gata está gorda» son las palabras con las que nos recibe mi madre cada vez que vamos de visita. Imagínense lo que dijo cuando la vio después de dos meses parada por mi lesión de rodilla.

Un poco preocupado por el tema llamé a Vero, que me envió un gráfico con los diferentes grados de gordura. Según las fotos que le mandé, y en una escala de 1 a 9, me aseguró que Mía estaba en un 5,5. Es decir, que no estaba obesa, pero que tampoco podíamos tirar cohetes y salir a comer fuera todos los días.

Total, que me fui a ver a Sofía, que además es experta en nutrición, para ver si tenía que poner a régimen a Mía o qué. Lo primero que hicimos fue cortarle las uñas, que no tiene nada que ver con el tema, pero lo cuento porque Mía se pilló un cabreo considerable. De hecho le saqué una foto porque nunca la había visto así de enfadada. Su cara metía miedo.

Después de pesarla, me dijo que, aunque estaba dentro de su peso ideal, coincidía con Vero en que había que cuidar que aquello no se fuera de madre. «A partir del año, a los gatos hay que darles la cantidad que marca la bolsa de la comida, y al menos un tercio de la dosis ha de ser comida húmeda –me explicó–. Ten en cuenta que comen mucho por aburrimiento. Es como cuando estás estudiando, que haces un alto y vas a picar algo. Pues ellos, cuando están solos y no tienen diversión, miran un rato por la ventana y luego se ponen a comer». La diabetes o dolores crónicos en los huesos pueden ser algunas de las consecuencias del sobrepeso. Y difícilmente nos enteraremos de esos dolores porque los gatos no se suelen quejar.

Salí de la clínica con una balanza de regalo y con una tela para cubrir el transportín muy bonita y muy práctica. Si tuviera algo de gusto, la calificaría de «muy mona», pero como no lo tengo, me abstengo de valorarla en esos términos. Lo que quería decir es que regresé a casa encantado de la vida con mis regalos.

Sofía me dio algunos trucos, como, por ejemplo, dejarle parte de la comida por diferentes rincones de la casa, ya que eso «Estimula su instinto de caza; es mejor no ponérselo fácil». Tanto Vero como Sofía coincidieron en que no pasara de cien a cero en un día. Y menos mal que lo hicieron, porque el primer día que comenzó mi preocupación real por su peso le serví a la pobre una cantidad de comida que, comparada con su dieta habitual, parecía un piscolabis. Cuando me vio entrar por la puerta, casi se pone de pie para abrazarme.

Mía no está gorda, de acuerdo, pero lo que resulta obvio es que como padre soy un blando. Ella sabe que si me pone carita de pena, voy a rendirme, y le caerá un premio o similar. Y es que en cuanto oye mis pasos encaminándose hacia la cocina, sale disparada hacía allí. Y lo hace con unos andares que son objetivamente graciosos, porque los pechos se le balancean mientras camina, sobresaliendo por uno y otro lado.

Después de discutirlo con mis veterinarias, hemos consensuado el plan de régimen. Lo llevaremos a rajatabla y de forma gradual. Pero me tendré que armar de valor, porque es tan sumamente feliz mientras come pavo o saborea su ración de comida húmeda que no sé si seré capaz de no escuchar ese ronroneo cada vez que me acerco al comedero. Sí, disfruto viéndola comer. Porque disfruto viéndola feliz.

Un dilema permanente

«Un gato solo conduce al siguiente».

ERNEST HEMINGWAY

Oviedo. 20 de marzo de 2018

Si uno tiene una mascota y un poco –solo un poco– de corazón, se planteará en algún momento si el animal es feliz en su casa. Intentas proporcionarle todo lo que está en tu mano: un techo, comida, calor, aseo y, sobre todo, cariño. Sin embargo, siempre albergas la duda de lo feliz que sería estando en libertad, cazando pájaros y viviendo cada día una aventura. Creo que a Mía, con lo torpe que es, no le hubiera ido muy bien en las calles, así que, por ese lado, no hay problema.

Pero existe otro dilema: el de las numerosas horas que pasa sola en casa. En un día normal, pueden oscilar entre diez o doce. Es cierto que cuando regreso, jugamos un rato largo, echamos carreras y la cuido bastante, pero cada día, al salir de casa para ir a trabajar, me da mucha pena cruzarme con su mirada, que de alguna forma está diciendo: «¿Te vas? ¿Por qué no nos quedamos todo el día juntos en casa, durmiendo y leyendo? ¡Sería un planazo!».

Al principio pones parches: escondes unos premios que ella encuentra antes de que salgas de casa, le compras juguetes que vas estrenando poco a poco pero que la entretienen cinco minutos, dejas algún armario abierto para que pueda investigar... No obstante, entiendes que, por muchas horas que duerma, tiene que llegar un momento en el que le resulte un fastidio estar tanto tiempo sola en casa. Y te sientes mal.

Es entonces cuando empiezan a surgir las voces que tratan de convencerte de que adoptes un segundo gato. «Así tendría a alguien con quien jugar durante el día», dicen. Y es cierto. Cada vez que veo un vídeo de gatos en Internet (y eso es bastante a menudo) me llama la atención la capacidad de interactuación que tienen entre ellos y lo felices que parecen. Claro que luego recuerdo que la gente solo sube a la Red los mejores momentos, y que vete a saber tú lo que supone lidiar con varios gatos durante todos los días de tu vida.

Desde el mismo día en que Mía llegó a casa, ya había quien me animaba a adoptar otro, que así estarían mejor. Mi amigo Bilbo lanzó al aire la profética frase de «Se empieza por uno». Incluso en los comentarios de la primera entrada que escribí en el blog de *El País*, algún lector me aconsejaba sumar otro gato de inmediato, para que crecieran juntos y se conocieran desde el principio.

A mí me surgían varias dudas. Las primeras y más recurrentes de todas eran: ¿tendría que tener dos areneros o valdría con uno para los dos? ¿Y con el comedero y el bebedero? ¿Necesitaría cada uno su propio transportín? Ya me veía viajando en tren con dos transportines y el resto de los viajeros cuchicheando sobre «el loco de los gatos». Es curioso que imaginara la escena en el tren, ya que jamás he viajado en transporte público con Mía. Pero ya se sabe que la mente humana, en contacto con las feromonas gatunas, puede crear recovecos inexplicables.

Año y medio después de su llegada a casa, Mía es la reina del hogar. Conoce la casa mejor que nadie y ha establecido una serie de rutinas que cumple a rajatabla (dormir los sábados por la tarde junto a la ventana de la cocina, esconderse bajo la ropa tendida, ponerse a mis pies cuando duermo la siesta, pasar las mañanas en la ventana de mi habitación...). Tras consultar con varios veterinarios, todos coincidían en que el carácter de los gatos es una lotería, y en que no tiene nada que ver que Mía sea muy sociable y muy buena; la llegada de otro gato podría provocar la manifestación de una personalidad desconocida. También el otro gato tendría algo que decir, claro.

El proceso de adaptación, además, comportaría varios días de separación entre ambos felinos. Al nuevo habría que encerrarlo en una habitación para que Mía se acostumbrara a su olor y a su presencia. Honestamente, no sé cómo se tomaría Mía que llegara un nuevo inquilino; un nuevo inquilino que, por otra parte, sería un cachorro que recibiría toda la atención durante las primeras semanas (vacuna, comida especial, etc.).

Y tampoco me veo con un segundo gato. Creo que Mía y yo estamos bien como estamos, nos entendemos bien y nos compenetramos. Incluso cuando camino, ella es capaz de cruzarse por entre mis piernas al tiempo que avanzo (aunque he de reconocer que la pobre se da bastantes golpes). Conocemos nuestras manías y sé, por los ruidos que hace, qué maldad está perpetrando. Que nos llevamos muy bien, vaya.

La decisión está tomada. En mi casa no entra otro gato, y punto. Y ya saben que soy un hombre de palabra. Gracias por haber llegado hasta aquí.

Sigue mis andanzas en Instagram y Facebook en
@enmicasanoentraungato
/enmicasanoentraungato
o comparte con nosotros la historia y fotos de tu gato en
enmicasanoentraungato@gmail.com
¡Me encantará hacer nuevos amigos!

Fdo.: Mía

Esta primera edición de *En mi casa no entra un gato,*
de Pedro Zuazua Gil, se terminó de imprimir
en *Grafica Veneta S.p.A. di Trebaseleghe* (PD) de Italia
en mayo de 2018. Para la composición del texto se ha utilizado
la tipografía Celeste diseñada por Chris Burke
en 1994 para la fundición FontFont.

Duomo ediciones es una empresa comprometida con el medio
ambiente. El papel utilizado para la impresión de este libro
procede de bosques gestionados sosteniblemente.

Este libro está impreso con el sol. La energía que ha hecho posible
su impresión procede exclusivamente de paneles solares.
Grafica Veneta es la primera imprenta en
el mundo que no utiliza carbón.